Scritti d'arte

SCRITTI D'ARTE

dieci maestri della pittura raccontati da dieci grandi della letteratura

Elsa Morante

BEATO ANGELICO

Paolo Volponi

MASACCIO

Oreste Del Buono

PIERO DELLA FRANCESCA

Leonardo Sciascia

ANTONELLO DA MESSINA

Dino Buzzati

BOSCH

Michele Prisco

RAFFAELLO

Alberto Bevilacqua

CORREGGIO

Giuseppe Ungaretti

VERMEER

Mario Luzi

MATISSE

Alberto Moravia

PICASSO

Rizzoli

ISBN 88-17-86521-4

Libri Illustrati Rizzoli
Editor: *Luisa Sacchi*
Coordinamento redazionale: *Barbara Villani*
Progetto grafico e copertina: *Elena Pozzi*

Realizzazione: *Ultreya s.r.l.*
Curatela: *Sandro Chierici*
Impaginazione: *Daria Rescaldani*

A pagina 7: Raffaello Sanzio, *Trasporto di Cristo al sepolcro*, 1508, Roma, Galleria Borghese
A pagina 8: Piero della Francesca, *Ritratto di Battista Sforza*, 1474, Firenze, Uffizi
A pagina 9: Piero della Francesca, *Ritratto di Federico da Montefeltro*, 1474, Firenze, Uffizi

Sommario

Nota dell'editore

I "Classici dell'arte", la famosa collana che ha avvicinato all'arte intere generazioni di italiani, erano contraddistinti da un testo introduttivo affidato di volta in volta a un grande scrittore. A questi "non addetti ai lavori" era chiesta una lettura dei pittori libera dai vincoli della critica d'arte in senso stretto, ma aperta a un rapporto personale, a un coinvolgimento intimo.

La freschezza e l'attualità di questi testi, unite alla loro raffinatezza letteraria, hanno suggerito oggi l'opportunità di riproporne alcuni in una nuova edizione, al fine di non disperdere un patrimonio di tale valore.

BEATO ANGELICO
il beato propagandista del Paradiso

Elsa Morante

Uno dei suoi segni particolari è di avere tre distinti nomi. Il primo (suo nome anagrafico) è Guido di Pietro: inteso, in confidenza, Guidolino (forse perché, almeno da ragazzetto, cresceva fragile, e di statura piccola? per motivi simili uno dei suoi Padri, il domenicano Pierozzi Antonio, è diventato Antonino, e poi sant'Antonino). Il secondo nome, Giovanni da Fiesole, fu assunto da lui nell'atto della sua vocazione religiosa: probabilmente per l'intenzione consapevole di onorare un altro dei suoi Padri, il domenicano Giovanni Dominici; ma forse anche per un'altra scelta inconsapevole e necessaria, come poi si vedrà.

Questi due nomi appartengono alla sua storia; ma il terzo, Beato Angelico, glielo ha dato, da vivo e da morto, la sua leggenda popolare. E non per niente è toccato proprio a quest'ultimo di restare il suo nome più consueto, familiare a tutto il mondo.

La leggenda del Beato Angelico, prima ancora che pittore, lo vuole santo; e i critici moderni, attenti a sistemarlo obiettivamente nella Storia, lavorano a rimuovere da lui certi ingombri leggendari. Ma io, come il popolo, non so adattarmi a una simile operazione: anche se proprio in quell'aureola sopraterrestre devo riconoscere il primo acido che ha prodotto certi miei pregiudizi scostanti sul conto del Beato.

In realtà, nella pittura, i miei santi portavano altri nomi: per esempio Masaccio, Rembrandt, Van Gogh. Difatti, i santi dell'arte mi si fanno riconoscere perché portano nel corpo i comuni segni della croce materna, la stessa che inchioda noi tutti. Solo per avere scontato in se stessi, fino alla consumazione, la strage comune, i loro corpi hanno potuto, a differenza dei nostri, rendersi al colore luminoso della sa-

13

lute; ma costui invece, il Beato, si direbbe nato già col suo corpo luminoso.

Agli artisti, come ai santi, noi chiediamo la difficile carità di rispondere alle nostre domande più disperate e confuse; però solo alcuni fra loro sembrano prometterci una risposta, come parenti nostri che, di là dai confini e dalle date, ci parlino nella nostra stessa lingua materna. Altri ci scansano, trattandoci da stranieri: e uno di costoro, per me, fino dalle mie prime domande acerbe, è stato, il pittore Angelico. Tanto che oggi, da questo punto presente in cui mi trovo, tornare nei ritiri dove lui beato vive mi pare quasi un viaggio di fantascienza.

La povera mia (nostra) lingua materna è cresciuta nella fabbrica deformante delle città degradate, fra le lotte evasive dei meccanismi schiavistici, e le ripugnanti, continue tentazioni della bruttezza. Ricevendo per dottrina imposta – come canoni di fede ecumenica – le tetre Scritture del Progresso tecnologico, i Messaggi ossessivi della Merce, e le spettrali Annunciazioni della Gerusalemme industriale, s'è ritratta a cercare le proprie immagini di salute nell'esclusione da qualsiasi chiesa. E forzata, fino dall'infanzia, a frequentare i gerghi obbligatori dell'irrealtà collettiva, s'è ridotta a re-inventare un proprio lessico, scavandolo, magari, da qualche vocabolario esotico, indecifrabile per i suoi contemporanei: e rifornendo il proprio tesoro magari dai loro rifiuti, piuttosto che dalle loro botteghe.

Come potrà dunque, una nel mio-nostro stato, non dico capire, ma perdonare quella lingua beata e angelica? Forse, le mie resistenze al Beato pittore sono colpa, soprattutto, della mia invidia. In realtà, più che nel significato di "santo", qui, a me, "beato" suona piuttosto in quello di "fortunato", o "beato lui".

Per esempio. A noi pure certo gioverebbe di conoscere, in aggiunta al nostro padre naturale, un qualche padre di sapienza, vivo o defunto, a cui chiedere consiglio. Ma purtroppo, le voci dei defunti qua non riusciamo a udirle più, attraverso questo fracasso atomico che ci assorda. E quelle dei vivi, sono esse stesse troppo chiassose per meritare la nostra fiducia. I sapienti, di regola, non fanno tanto rumore.

Così noi, qua, oggi, siamo tutti orfani. Mentre che Guido di Pietro, invece, di quei Padri-eroi ne aveva molti: e tutti santi, o beati, e tutti domenicani. Insieme ai due vivi e suoi conterranei già nominati prima, basterà nominare ancora, fra i defunti, Domenico di Guzman, che da Dante fu apparentato ai cherubini, per la sapienza; e Tommaso d'Aquino, detto *Doctor Angelicus*: il quale passò la vita a dimostrare la divina realtà con le ragioni di Aristotele; ma per il resto, poi, chiacchierava così poco, da venir soprannominato "il bue muto".

Appunto negli scritti del *Doctor Angelicus* si legge: "Niente è nell'intelletto, che non sia stato prima nei sensi". E naturalmente gli occhi fortunati di Guidolino di Pietro si sono aperti per la prima volta su una veduta dove lui poteva immediatamente riconoscere un modello sensibile del Paradiso.

Un privilegio comune dei terrestri d'allora, anzi (fin quasi a ieri) di tutti i terrestri del passato, era questo: la bruttezza – che significa propriamente 'negazione della realtà' o, come oggi si direbbe, 'alienazione' totale dall'intelletto e dalla natura) – non aveva ancora ramificato sulla terra. Difatti, tutti gli altri mali possibili sulla terra fino dagli inizi: i conflitti, le devastazioni, la malattia, la morte, sono sostanza della natura, movimenti della tragedia reale. La manifestazione dell'irrealtà, cioè la bruttezza, è un mostro recente.

Ma per quanto questa laida esperienza, nostra maledizione attuale, fosse ovunque e sempre risparmiata ai nostri predecessori terrestri, è certo che il

pagine seguenti:
Beato Angelico
Nascita di san Nicola,
1447-49
Roma, Pinacoteca Vaticana

momento storico e il luogo geografico assegnati dalla fortuna a Guidolino sono stati il punto di elezione e il centro radioso di un tale favore invidiabile. Si può affermare che i beati occhi di Guidolino non incontrarono mai niente di brutto. E quanto alla presenza inevitabile del male, lui ne aveva la spiegazione dai suoi Padri.

Grazie a costoro, tutto era chiaro, per Guido di Pietro: il male sussiste sulla terra, perché questa non è che una stazione inferiore del Cosmo; anzi, ne è la penultima bassura giacché, subito sotto di essa, si trova l'Inferno. Però, diversamente da quest'ultimo, la terra mantiene tuttavia relazioni col Regno celeste, che abitualmente le invia i propri messaggeri, avendo istituito a questo incarico speciale gli Ordini angelici della terza categoria: Angeli, Arcangeli e Principati.

Al di sopra della bassura terrestre, e delle sue dipendenze, si espande per tutto il Cosmo, attraverso le sue successive altitudini, l'unica nazione celeste, suddivisa in nove regioni o sfere, sempre più illuminate e perfette via via che si procede nella salita. Dalla prima sfera di confine, la Luna, si sale a Mercurio e a Venere e alla quarta sfera del Sole; e di qui, passando per Marte, Giove e Saturno, si arriva al Cielo delle Stelle Fisse, e al Primo Mobile. Questa infinita nazione stellare è abitata e governata dagli Angeli della seconda categoria: Potestà, Virtù e Dominazioni. E infine, ai tre gradi della prima categoria: Troni, Cherubini e Serafini, sono assegnate le funzioni supreme dell'Empireo, sommità dell'Universo, dov'è la casa di Dio.

Nota Bene. Nessuna scienza terrestre potrà mai presumere di contestare attendibilmente questa astronomia. Invero, come già i primi cosmonauti discesi sulla Luna, così gli altri venturi cosmonauti andranno vagando dalla Luna a Marte a Giove, senza scoprirvi mai altro che delle distese deserte. Ma ciò

Beato Angelico
Trasfigurazione,
1438-53
Firenze,
Convento di San Marco

vale solo a dire, in realtà, che *essi* le stimeranno deserte: poiché le architetture sterminate e popolose delle Potestà, delle Virtù e delle Dominazioni non sono percepibili dai nostri strumenti ottici.

E così l'umanità, coi poveri animali suoi compagni, ha meritato l'infimo albergo del Cosmo: dove, appena al piano di sotto, si trova la cantina dei Dannati. Era logico che, da una simile vicinanza, il Male radicasse fino sulla terra. Ma come rimedio, assicurano i Padri, l'uomo ha ricevuto un Bene che lo distingue dalle creature inferiori o dannate, e lo riaccompagna agli Angeli.

È il bene dell'intelletto. E per suo mezzo, dalla bassura terrestre il pensiero può salire per tutte le sfere superiori, fino all'Empireo. La sfera più prossima, la Luna, e le altre seguenti fino alle Stelle Fisse, si possono perfino riconoscere con gli occhi, anche da Vicchio, nel sereno notturno. Ma anche dell'ultima sede, l'Empireo, il Paradiso invisibile, c'è sulla terra una testimonianza visibile, la luce: la quale non è una sostanza terrestre, ma una qualità propria del cielo, che così rende alle cose esistenti la proprietà incorporea essenziale: non producendosi come effetto, ma significando la Causa. Guido di Pietro, fin dal giorno in cui ha aperto gli occhi, s'è innamorato della luce. Il suo è un affetto felice e corrisposto, giacché la luce lo aspetta ogni giorno, dichiarandogli, con la manifestazione dei colori, la presenza del primo amore in tutte le cose; e poi consegnandogli, per la fede del loro affetto reciproco, il segreto magistrale dell'arte visiva. Guidolino ha ricevuto nelle sue manucce ubbidienti gli strumenti del suo lavoro come un pegno della propria unione con la prima luce. E una simile unione è approvata senz'altro dall'autorità dei Padri, giacché può servire alla propaganda del Paradiso. Così Guido di Pietro ha scoperto il suo mestiere. È un pittore, al servizio della propaganda.

I suoi padri viventi (Dominici e Pierozzi) gli insegnano che la propaganda è il solo fine lecito dell'arte. Però una tale direttiva totalitaria ha già risentito le spinte della rivoluzione mondiale che intanto cresce intorno a loro con meravigliosa turbolenza. Questa rivoluzione (allora appena agli inizi) è la stessa che nel farsi adulta e matura arriverà fino a negare l'astorico Paradiso, contrapponendogli la Storia, di cui l'uomo definitivamente mortale (e non l'ipotetica anima immortale) è il solo protagonista e responsabile. Suo solo regno promesso è la terra; e per l'uso di questo regno concreto, più della filosofia serve la scienza. L'arte poi serve a glorificarlo, e a glorificarsi.

Ha partecipato, Guido di Pietro, alla rivoluzione? E se no, va dunque trattato da reazionario? Questo problema, che inquieterà i critici, non potrebbe far deviare il Beato. Per lui, tutte le rivoluzioni possibili non potranno mai essere che compromessi e

Beato Angelico
Trittico di San Nicola,
1447-49
Perugia,
Galleria Nazionale
dell'Umbria

21

Beato Angelico
Pala di Santa Trinita,
1437-40
Firenze,
Museo di San Marco

approssimazioni della vera rivoluzione totale, già definita una volta per tutte in Galilea. Nel campo proprio della pittura, la sua grande rivoluzione lui l'ha già intrapresa; giacché, fino a lui, la luce, pur essendo necessariamente la sorgente della pittura, non ne era stata l'ascesi e l'argomento. E in quanto alla nuova scienza dei pittori suoi coetanei, s'intende che lui l'impara; ringraziando anzi il suo primo e unico amore (la luce) perché gli manda certe istruzioni stupende attraverso di loro. Lui sa che questi suoi compagni rivoluzionari sono destinati a strumenti della luce, come lui. Sua sola differenza da loro: lui conosce l'ultima destinazione, promessa a lui dalla luce innamorata. E non vuole ritardarla.

Attento, però avvertito del rischio, come Ulisse nel mare delle sirene. E allora ha deciso, anche lui, di legarsi con le corde alla sua nave. "La lezione e l'orazione" gli insegna il maestro Antonino "sono due alie che sempre trovano l'anima sospesa in cielo, e mai la lasciano posare in terra, cioè a cose terrene per affetto e per desiderio. E così, come gli uccelli non è possibile volare in aria con un'alia, così l'anima è quasi impossibile perfettamente a poter gustare di Dio senza lezione: l'una aiuta l'altra; e poi la santa contemplazione che la fa andare diritta...".

Non è escluso che perfino il Beato possa aver conosciuto qualche conflitto simile ai nostri... Però noi, qua, oggi, dove la troviamo una nave di fiducia a cui legarci, per non perdere la direzione? Qua non si riesce a vedere intorno che barchette o barconi alla deriva, o rotti, o semisommersi; o bastimentacci mercantili, o corsari; o galere di forzati. Pure le navi volanti, o missilistiche, o atomiche, o come siano, le quali ci promettono addirittura la velocità della luce, in realtà ci risultano poi dei carretti bombastici, che ci detengono sempre nel nostro solito albergo sul tetto dell'Inferno. Chi potrà condannare, qua, quelli che si buttano con le sirene, oppure si tappano gli orecchi al loro canto, come i non invidiabili compagni di Ulisse?

Per il Beato, invece (ecco ancora la sua fortuna), non c'era che da muovere due passi. La sua nave di fiducia stava là ancorata ad aspettarlo: convento di san Domenico di Fiesole, fondato dal suo Padre Dominici e tenuto dal suo Padre Pierozzi. Là in mezzo al verde, che è il colore della resurrezione e del riposo; e al turchino, che è il colore della nascita.

È stato nel presentarsi là che lui ha scoperto il suo vero nome. Come si era chiamato colui che aveva detto: "Io non sono la luce, ma sono venuto per rendere testimonianza alla luce"? Giovanni: questo è il suo nome vero! Guidolino era soltanto un nomignolo.

Frate Giovanni da Fiesole

Le opere d'arte di propaganda sono un siero della verità. Se la propaganda è spontanea e sincera, riescono belle. Se no, riescono dei mostri. Anche nell'epoca moderna, si è dato qualche caso di propaganda spontanea: per esempio il poeta Majakovskij, il quale credeva nella merce che vantava. Il giorno che non ha più creduto, ha preferito suicidarsi.

Dopo di lui l'arte odierna della propaganda, in generale, ha prodotto dei mostri di bruttezza. Segno che gli oggetti della nostra propaganda, in massima parte, sono falsificati, e la propaganda obbligatoria o forzosa. Noi non abbiamo visto, e non crediamo.

"Beati quelli che non videro, e credettero". Beati anche perché, dal momento stesso che hanno veramente creduto, hanno visto.

Frate Giovanni da Fiesole, propagandista del Paradiso, ci ha sempre creduto. E per questo, gli è stato concesso di vedere. Attraverso le gradazioni della scala cromatica, l'unica luce non solo gli ha fatto riconoscere la propria essenza divina, ma anche la differente qualità dei corpi, più o meno disposti a riceverla. Le

creature angeliche sono diafane assolutamente, per cui la luce le riempie della propria intera essenza, non degradata nella scala; e a causa di ciò, il senso della vista non può percepirle, sebbene i tre Ordini della terza categoria angelica – Angeli, Arcangeli e Principati – percorrano abitualmente la terra.

Solo in certi casi eccezionali, come si legge nelle Scritture, esse si sono rese percettibili; o perfino, come Gabriele nell'Annunciazione a Maria, si sono

fatte riconoscere nella loro unica specie (è noto che gli Angeli, non riproducendosi per la loro natura, sono, ciascuno, l'unico della propria specie).

Si può pensare che il Cristo, in quanto Uomo-Dio, fosse accompagnato sempre, anche sulla terra, dalla propria essenza di luce. La quale soltanto una volta diventò visibile: agli Apostoli sul monte Tabor.

La leggenda racconta che l'Angelico dipingeva in ginocchio. E alcuni critici, davanti al segreto di

Beato Angelico
Giudizio Universale,
1432-35 ca.
Firenze,
Museo di San Marco

27

certe sue luci, si sono poi domandati: estasi o scienza? Ma qui per lui potrebbe forse rispondere il Doctor Angelicus, il quale un giorno, dopo una delle sue ultime messe, confidò al suo amico Reginaldo: "non posso scrivere più. Ho visto cose, in confronto delle quali i miei scritti non sono che paglia".

Però l'arte, anche se beata, è una tentazione irresistibile; e il Nostro, non essendo un Dottore della Chiesa ma un pittore nato, ha seguitato la sua cara arte fino alla fine. Se ha conosciuto le visioni dell'estasi, questo è un argomento di silenzio e di pudore, su cui non è lecito interrogarlo. E solo ci sia permessa, tuttavia, una domanda: "Poiché la luce propria delle creature celesti (rivelata solo a pochi nella visione estatica) non si degrada nella scala visibile, come poteva lui raffigurare, nella pittura, Cristo e Maria in gloria, gli angeli e i santi nel cielo?".

Anche su questo lo istruiva il suo maestro Antonino: avvertendolo che, per le chiese, si fanno "...le quali sono dette nel decreto 'libri degl'idioti': i quali non sapendo leggere, per quello è loro rappresentato il fervore... onde l'animo si desta a seguitargli...".

Ma allora, se ne dovrebbe dedurre che lui, dopo aver letto nel volume delle Intelligenze inesprimibili, si riduceva al "libro degl'idioti" per un artificio propagandistico? No assolutamente. Difatti, in primo luogo c'era la parola del Doctor Angelicus: "scienza con carità". E poi, c'è che dentro Giovanni da Fiesole stava sempre vivo Guidolino, pazzamente e irrimediabilmente innamorato del suo primo amore: la luce sensibile di ogni giorno.

Uno dei suoi primi dipinti, e il vero manifesto della sua propaganda, è stato il *Giudizio Universale*: dove la scelta definitiva fra la cittadinanza infernale e quella celeste viene proposta "agli idioti" in un documento smagliante. L'Impero del Male è un'osteria di cannibali, murati dentro la loro cantina, senz'altra illuminazione che quella dei loro fuochi nefandi. E la Repubblica del Bene, invece, è un ballo mattiniero all'aperto, su un bel prato da dove, per una salitella fiesolana, si arriva al piccolo uscio radioso che porta alle stanze della luce (molto simili al palazzo delle fate).

I colori sono un regalo della luce, che si serve dei corpi (come la musica degli strumenti) per trasformare in epifania terrestre la sua festa invisibile. Le Incoronazioni, gli Altari, le Maestà sono gli inni del pittore in lode e celebrazione di quella festa. Si sa che allo sguardo degli "idioti" (poveri o ricchi) la gerarchia degli splendori culmina nel segno dell'oro. Per quelli che non conoscono la vera, intima alchimia della luce, le miniere terrestri sono il luogo del tesoro nascosto. E così, per l'esaltazione dei loro occhi ignoranti, questo pittore dell'Ordine degli Accattoni costruisce alla Madre e al Bambino, come a due idoli, troni d'oro, camere pavesate d'oro, pavimenti marmorei, tappeti orientali. Ricama con una minuzia incantata le vesti degli angeli, e pettina i loro capelli con la cura di una sorella attenta.

Però, nel lavoro, anche tali vanità e mercanzie gli si restituiscono alla natura propria dei corpi luminosi, disinteressata e innocente. I suoi angeli non sono bambolette agghindate come credette lo scioccherello Olindo Guerrini (il quale, basta leggere le sue poesie per verificare quanto era stupidello), ma, al contrario, sono nati come nascono i fiori, con le loro ciocche e piume già ordinate e i loro eleganti vestiti non tessuti né cuciti da nessun operaio ("Guardate i gigli dei campi…").

Nessun vizio retorico, nessuna unzione bigotta corrompe i suoi gesti innamorati. L'equivoco delle false religioni, o delle "epoche belle", ha preteso di degradarlo ai propri usi, facendone un "santino" o

Beato Angelico
Annunciazione, 1449 ca.
Firenze,
Convento di San Marco

INTACTE CVM VENERIS ANTE FIGVRAM PRETEREVNDO CAVE NE SILEATVR. AVE

Beato Angelico
Crocifissione e santi,
1441-42 ca.
Firenze,
Convento di San Marco

un genere da arredamento. Ma in realtà i suoi regali d'Epifania, lavorati con le sue mani, sono consegnati al domicilio della luce, dove gli occhi volgari o sofisticati non arrivano.

Oltre ai manifesti e agli inni, la propaganda richiede epopee "sceneggiate" per commuovere il popolo, fedele o volubile, con le imprese dei suoi eroi. Nel mondo del Beato non c'è stata ancora l'industria dei *mass-media*, coi suoi genocidi aberranti. La proprietà sacrosanta e preziosa degli "idioti" – la loro cultura stupenda, la poesia popolare – è in quei giorni una creatura viva, respirante, piena di grazia e di salute. Le storie straordinarie ch'essa fornisce al Beato (fortunato) riferiscono la perfetta realtà della natura, più vera di qualsiasi 'realtà' storica. Le predelle degli altari, dei tabernacoli e delle pale sono il teatrino, anzi la sublime "televisione a colori" del nostro cantastorie. Qui le partiture colorate della luce hanno variazioni più familiari, cantabili. Una popolazione minuta di artigianelli, di soldati e mercantucci anima le piazze delle vocazioni, delle salvazioni e dei martirii. Le scene delle *Presentazioni* e dei miracoli sono piccoli chiostri e cortili fiorentini, terrazze melodiose, camerette arredate all'uso toscano o fiammingo. La casa della *Visitazione* si affaccia sul lago Trasimeno.

Tutto questo (manifesti, inni, spettacoli) è lavoro sociale e "impegnato", dovuto alle chiese, alle Signorie, alle Compagnie, e insomma al pubblico degli "idioti": gli stessi a cui Cristo spiegava la luce in parabole, perché i loro intelletti sono confinati nelle dimensioni dello spazio e del tempo. Predicare agli "idioti" nella loro lingua una libertà che non abita dentro quelle dimensioni, e che non si può definire nei termini di nessun vocabolario: questa è la "presenza" nel mondo, insegnata dall'esempio del Vangelo. La santità-azione e l'arte-preghiera si apparentano in questo paradosso: d'essere sciolte dai limiti comuni, eppure di muoversi dentro questi limiti. E un tale paradosso assenza-presenza è vissuto doppiamente dall'Angelico: perché artista e perché religioso.

Il luogo dell'"assenza", per i poeti, è la lirica: dove la conversazione non è più col mondo esterno, ma con un altro interlocutore intimo, punto ultimo e inaccessibile del sentimento o dell'intelletto. Per l'artista Beato questo luogo, o rifugio, s'è identificato fisicamente nel convento di San Marco, che l'ha ospitato per gran parte della sua vita, prima come frate e poi come priore. E là, nella sua casa – dove ogni cameretta assegnata per i riposi era anche la singola cella consacrata alle meditazioni, e dove ogni pasto nel refettorio comune doveva rievocare il sacrificio del pane e del vino – l'innamorato della luce ha dipinto sui muri le sue misteriose conversazioni con lei. Gli *affreschi di San Marco* sono le liriche del Beato Angelico: tali che lui poteva dipingerle (per così dire) a occhi chiusi, giacché stavolta i colori non glieli ha portati il senso della vista, ma la memoria, che è un'altra testimonianza della luce. Nell'assenza dal tempo e dallo spazio, tutto è memoria: l'evento presente, quello che è già accaduto e quello che deve ancora accadere. E così, in quegli affreschi anonimi (l'autografia non importa all'arte-preghiera) il pittore "si è ricordato" dei Misteri gaudiosi, dolorosi e gloriosi: dell'Annunciazione a Maria, della flagellazione e della sepoltura di Cristo, dell'incontro di Maddalena col suo Rabbi risorto, e del volo alla patria dell'ultimo cielo. Nella definitiva unità dei contrari assenza-presenza, tutto è già stato, tutto deve succedere ancora. E là finalmente i corpi si avvicinano a quell'assoluto "diafano" in cui si rivelerà la luce essenziale, non degradata.

Però il destino di frate Giovanni non è di riposare nella lirica; Giovanni da Fiesole è un pittore del Rinascimento, e cattolico, e domenicano; e intorno al cinquantesimo anno della sua vita, il Papa lo chiama a Roma. Così, dal suo paese natale di Vicchio, il nostro Guidolino è arrivato, nella sua tonaca bianca e mantelluccio nero, fino alla Corte pontificia: dove, in luogo della *leggenda aurea* del suo confratello Jacopo, lo aspetta la Storia. Il confronto con la Storia è un'altra delle prove necessarie che la "presenza" nel mondo richiede agli artisti e ai religiosi intesi all'azione. E in tale confronto il grande Giovanni quasi rimuove da dentro se stesso la immancabile piccola presenza di Guidolino, coi suoi giardini primordiali; come pure la nostalgia dell'intimità di San Marco. Non interroga più le luci della natura e della memoria, ma gli specchi monumentali dell'antico classicismo e del nuovo umanesimo: adeguando il suo canto d'amore alla loro eloquenza terrestre.

La *Cappella Nicolina* in Vaticano è il poema storico del Beato. Sono, oramai, gli ultimi anni della sua vita. Non molto lavoro gli resta ancora da fare.

Beato Angelico
Ordinazione di san Lorenzo,
1447-50
Roma, Musei Vaticani,
Cappella Niccolina

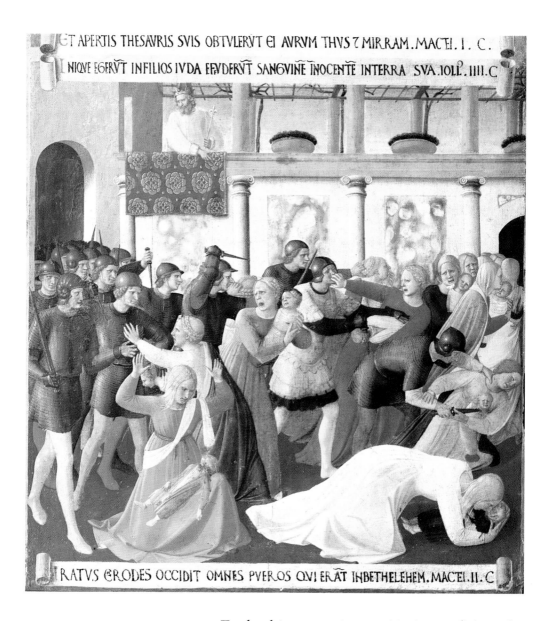

ET APERTIS THESAVRIS SVIS OBTVLERVT EI AVRVM THVS ↗ MIRRAM . MACEI . I . C .

I NIQVE EGERVT INFILIOS IVDA EFVDERVT SANGVINE INOCENTE INTERRA SVA . IOLL . IIII . C

RATVS GRODES OCCIDIT OMNES PVEROS QVI ERAT INBETHELEHEM . MACEI . II . C

Beato Angelico
Strage degli innocenti, 1450
Firenze,
Museo di San Marco,
Armadio degli argenti

Fra le ultime sue pitture, ci è rimasto l'*Armadio degli Argenti*: ciclo di storiette meravigliose, dove si racconta la biografia di Cristo. Di nuovo, in questi quadretti, riconosciamo il linguaggio proprio del "libro degli idioti"; ma nella sua parlata popolare c'è una specie di stupore incantato, come se l'Angelico, stavolta, volesse farsi lui stesso "idiota", secondo il destino dei suoi poveri fratelli terrestri: per raccontare a se stesso, nella sua vecchiaia, la più bella storia della terra. Qua la sua amica luce gli ha sorriso con una specie di umorismo impareggiabile nel mantelluccio rosso del Bambino in partenza sull'asino verso l'Egitto; nelle ali di farfalla dell'arcangelo Gabriele; e nella carne del minuscolo infante che si porge, con le gambucce aperte, al sacerdote armato per la circoncisione. La sua compagna luce gli ha tinto d'indulgenza l'interrogatorio di Pilato; gli ha trasformato in una favola d'orchi la strage degli Innocenti, alla maniera d'una nonna che raccontasse una storia di spaventi a lieto fine; e per illuminargli l'Ultima Cena, gli ha tracciato un soffitto d'archi azzurri, come se quel piccolo refettorio dell'addio si trovasse situato già in un'altra Gerusalemme, al di là delle Stelle Fisse.

La sorte del pittore non è stata di morire nella sua casa fiorentina di San Marco; ma a Roma, che per lui doveva essere una lontana terra straniera. È sepolto nella chiesa romana della Minerva; e qui, scolpito sulla sua pietra tombale, e illuminato presentemente da una lampadina elettrica, si può vedere il suo ultimo ritratto. Certo, lui vi appare assai diverso che in quell'unico altro ritratto suo da me conosciuto, nel quale Luca Signorelli lo rappresentava con enfasi eroica. Però, nei tratti quasi contadini di questa povera maschera di vecchio malato si può meglio decifrare, direi, la scrittura materna dei suoi tre nomi: Beato Angelico, nell'attenzione; Giovanni, nella disciplina; e Guidolino, nell'aspettazione interrogativa di quel promesso raggio amante che non si decompone nello spettro visibile.

MASACCIO
il principio umano
della pittura-scienza

Paolo Volponi

Tommaso Cassai, che più tardi, per qualche ragione della sua tristezza o della sua intemperanza, verrà soprannominato Masaccio, nacque a San Giovanni Valdarno il 21 dicembre 1401.

All'età di cinque anni restò orfano di padre, e poco dopo dovette assistere alle nuove nozze della madre con un vecchio speziale del paese. È da ritenere che la sua infanzia sia stata poco felice, piuttosto gravida di ombre e di carenze, tutta interiore secondo la logica del dolore infantile, anche se la cronaca accenna alla benevolenza del patrigno. Tommaso dovette trascorrere il suo primo tempo per le strade del paese, sugli scalini, dentro il vicinato, davanti a una rappresentazione umana precoce e violenta, tra il silenzio delle porte gentilizie e le voci degli incontri. Egli avrà di sicuro cercato scampo, portandosi dietro il fratello minore Giovanni, anche fuori delle mura, tra le colline lungo le rive dell'Arno. La pittura poteva essere uno studio accostabile, per lui, nella bottega di qualcuno, a impastare, a spezzare le terre, a raschiare le tavole, a inchiodare, sempre con il fratello minore accanto.

La madre rimase un'altra volta vedova, e allora la famigliola traslocò a Firenze, spinta dalle irrequietezze di Tommaso, forse già divenuto Masaccio, che non potevano essere più placate fra le strade e le piazze di san Giovanni o nelle escursioni fuori le mura, e anche dalla voglia di allargare gli insegnamenti e di esercitare la pittura in quella capitale. A vent'anni Masaccio è a Firenze, aggregato al popolo di San Nicolò Oltrarno; dopo due anni comincia a lavorare con Masolino, suo conterraneo.

Il suo universo è costruito e completato nel giro di un lustro, da un lavoro prodigioso, fondamen-

pagina 38:
Masaccio
*Distribuzione dei beni
e morte di Anania,* 1425-28
Firenze, Chiesa del Carmine,
Cappella Brancacci

pagina a fianco:
Masaccio
Sant'Anna metterza, 1424
Firenze, Uffizi

tale per l'arte della pittura e per la cultura umana, anche se talvolta fu ignorato e distorto e perfino mutilato, come accadde, verso la fine del Cinquecento, nella stessa chiesa del Carmine, con la distruzione del chiostro che recava una sagra da lui dipinta. Nell'autunno del 1428 Masaccio parte per Roma, dove la morte lo coglierà, giovane di ventisette anni.

Questi dati, che sono quasi tutto quel che resta della vita terrena di Masaccio, fissano con la loro forza essenziale un campo stretto e sicuro, simile a quello di una scena delle sue pitture, dove corre un'aria adolescente e si compone un racconto battuto dalla premonizione.

Nel clima culturale di Firenze in quell'inizio del secolo, nel gusto e nell'esercizio della pittura, solo un adolescente addolorato, ricco di se stesso e di tutti i confronti con un ambiente umano circoscritto e con una natura compagna, poteva affermare la severità, la bontà naturale, lo slargo prospettico e quella pensierosa, trepida fissità che distinguono il lavoro di Masaccio.

Roberto Longhi nel suo prodigioso *Piero della Francesca* parla di "ansiosa emergenza", e Libero de Libero scrive: "Fu proprio Masaccio, il più giovane di tutti i pittori che siano stati giovani prima, durante e dopo di lui, in pochi anni di gioventù a compiere il miracolo di risvegliare la pittura e di rianimarla con un'urgenza di vita, finalmente reale e terrena, che mai aveva avuto prima di allora".

L'orfano dipinge, e allora in mezzo alla scena avanza la figura della madre, tra il gruppo dei mendichi e degli storpi, a prendere l'elemosina da san Pietro. Ella è chiara, femminea, con lo sguardo che accenna alla speranza di un sorriso, la bocca sigillata dalla sua stessa morbidezza femminile. Ella sorte da una fatalità che ancora le trattiene il passo e le vesti: san Pietro guarda altrove, e dietro di lui, anch'essi di-

Masaccio
Madonna con Bambino,
1426 ca.
Firenze, Uffizi

42

stratti, sono gli apostoli, e sotto, di traverso, il corpo esanime di un giovane padre. In braccio alla madre sta, al centro della luce, un infante aggrondato e dolente, mezzo nudo, che regge con dolore la sua grossa testa e che se la tocca con una manina in un gesto appassionato e presago; l'altra mano resta protesa verso il collo e il seno materni. Tutti i bambini di Masaccio sono irrequieti e dolenti, sorpresi in gesti intimi di estraneità e di interrogazione, fuori degli schemi della dolcezza senese o della fissità fiorentina.

Il bambino, contornato dagli angeli musicanti, della *Madonna* della National Gallery, tiene due dita in bocca e resta distratto con gli occhi in alto, assorti, anche se la sua mano è portata a toccare l'uva che la madre gli porge per consolarlo, per attirarlo alla comunicazione. Così il bambino della tavola di Palazzo Vecchio a Firenze, aggrappato alla mano della madre che cerca mestamente di fargli solletico. Così il bambino della *Madonna* di San Giovenale, anch'egli con due dita cacciate profondamente tra le labbra in un gesto di irrequietezza che lo porta a divincolarsi, con l'altra manina aggrappata al velo materno; così quello biondissimo della rossa piramide fra sant'Anna e la madre, il quale, sporgendosi verso qualcuno estraneo al gruppo, buttando avanti le braccia per un abbraccio, sembra voler uscire dalla rigidità della costruzione, dalla dolorosa e severa sacralità di sant'Anna e della sua stessa madre.

Quando la pittura ammette in una delle sue composizioni quell'interlocutore, quel fratello maggiore al quale si rivolge quest'ultimo bambino, e quindi la scena si allarga solennemente, la folla è quella del mondo stesso di Masaccio. Ogni figura scaturisce ed è fissata dalla sua stessa ansia, disposta in un ambiente che è quello vero, assunto per la sua verità fino allo spasimo da un giovane che incontra ed enumera le sue cose e che le riconosce, anche den-

Masaccio
Madonna con Bambino in trono e quattro angeli, 1426
Londra, National Gallery

Masaccio
Adorazione dei magi, 1426
Berlino, Staatliche Museen

tro di sé, e che si nutre e si rafforza con questo riconoscimento: i parenti, i compagni, le case intorno, gli alberi uno per uno o in fila, vicini o al confine, le rive celesti del fiume, i palchi gemelli delle colline. Sono i volti degli uomini giusti che Masaccio incontrava o quelli dei mendicanti e diseredati, o quelli dei generosi che lo aiutavano; di sicuro la faccia di san Pietro è quella dell'uomo che gli fece da maestro, nell'adolescenza, e che gli suggerì di mettersi a lavorare nella pittura. Ognuna di quelle figure, e più ancora ognuno di questi volti, è quello di una giornata della vita di Masaccio, di un buon incontro, di un affidamento dal quale egli trae una forza paterna: facce di struttura greve, massiccia, dalla fronte aperta o bozzuta, dalle occhiaie allargate dalla tenerezza, gonfie ai lati per flettersi sulla tempia amorosa, interrompersi sullo sbalzo delle ciglia, sotto le quali s'apre una occhiaia profonda, dolce come una sponda, mobile, dove la palla marroncina dell'occhio e il bianco della sua vela pongono un pensiero triste, assorto, lo stesso che arriva a gonfiare la nuca, che compenetra gli zigomi e scende fino alle guance tirate, terrose, alle bocche suggellate da uno sgomento di follia paesana Tutti insieme questi personaggi non sono un gruppo, mai, nemmeno gli apostoli intorno ai gesti di san Pietro, in quello spiazzo di ter-

Masaccio
Crocifissione di Pietro e decollazione del Battista, 1426
Berlino, Staatliche Museen

ra che sta davanti agli archetti della casa, che va verso il fiume e verso i calanchi; ognuno narra la sua propria vicenda, alza il suo proprio mento, riempie il suo spazio della sua propria barba; i gesti legano il racconto, che poi trova le sue strutture e le sue cadenze nelle pieghe degli abiti con i quali questi personaggi di campagna sono camuffati, e poi nelle gambe del giovane, nella loro forza vibrante che muove tutta la scena, e poi nell'intervento spaziale degli strumenti fondamentali del paesaggio, o nella ripresa di qualche colore: il rosso calcinoso, il verde stento, raschiato dal greppo delle colline faticose dell'Arno. Forse l'"ansiosa emergenza" di ciascuno, per conto suo, la sua trepidazione (così teneramente accentuata nelle figure dei due giovani ignudi che stanno per ricevere il battesimo), proprio perché collocata nell'ordine scientifico della ricerca prospettica, è quella che ha dato agli storici il suggerimento di un ideale, di una coscienza storica, secondo la quale, per dirla con Eugenio Garin, "pittori come Masaccio e Piero della Francesca generarono e fissarono nei loro affreschi la figura fisica dell'uomo che la meditazione contemporanea andava indicando come l'essere privilegiato, capace di dominare il mondo".

E ancora: "Le figure della cappella Brancacci, nella chiesa del Carmine di Firenze, realizzano le di-

Masaccio
Il tributo, 1425-28
Firenze, Chiesa del Carmine,
Cappella Brancacci

mensioni che l'uomo assume nella coscienza del
'400". Ma la spinta e la gravità umana di queste figure è raccolta da Masaccio nel suo stesso campo,
nella sua disponibilità psicologica a cercare padre e
fratelli, a cercare se stesso tra quegli adulti sbandati

e quei giovani intimiditi, meravigliosi compagni destinati troppo presto a partire, a perdersi nel lavoro
servile o ad affogare nei gorghi del fiume. La cresci-
ta, in ogni piccolo paese, è affidata al vento, alle cor-
renti, agli incontri come quella di un polline, che è

la più disponibile e aperta, la più accorata, la più fervida, quella che riesce da una scaglia di terra sopra un sasso a far germogliare una pianta, ad accendere un colore.

La rivoluzione formidabile, che Masaccio mette in atto, prorompe anche dal suo cuore di orfano, dalle sue manchevolezze, dalle sue paure. Queste paure sono tutte raffigurate nella tavola della *Crocifissione,* che è nelle Gallerie Nazionali di Capodimonte, a Napoli, e nella *Trinità* di Santa Maria Novella a Firenze. In entrambe il corpo del Cristo è paterno, allettante quanto respingente; l'inguine e il pube sono bianchi, lavorati da una curiosità spasmodica come mai nessun'altra fra le opere di Masaccio: specie quello della *Trinità,* che è anche il più duro, colto fino alla oscenità della macchia pelosa. In tutte e due le figure del Cristo, la testa appare staccata, come fosse stata portata via e poi rimessa. Nella *Trinità* la testa del crocifisso è addirittura rimpicciolita, sfuggente, come se il suo volto fosse quello di uno che si abbia paura di guardare. Lo schermo fra queste figure e il pittore, o colui che guarda, che è sorpreso e che ha paura che il panno scenda e che si scopra la verità paterna, è dato da un'aria immobile, istituita in una scena ufficiale, architettata proprio come la porta di una chiesa, di un tribunale, di una scuola. E lo schermo è ancora appesantito dalle due figure sul primo scalino, della Vergine e di san Giovanni, che sono appunto quelle di una donna e di un uomo senza alcuna pietà, ma piuttosto con i simboli degli ordinamenti della vita: la faccia della donna ha un ghigno di compassione ostentata, trattenuta dallo sdegno in un gesto di meccanica intercessione; la faccia dell'uomo è fredda, da notaio e da guardiano. Ancora più sotto, le facce dei committenti, cioè dei borghesi o dei parenti, sono inebetite, caricaturali, sagomate e ritagliate da una verità piatta e convenzionale.

Masaccio
Crocifissione, 1426
Napoli,
Museo di Capodimonte

Masaccio
*Resurrezione del figlio di
Teofilo* e *San Pietro
in cattedra,* 1425-28
Firenze, Chiesa del Carmine,
Cappella Brancacci

Anche se intorno a lui c'è un nuovo fervore tra i teologi, gli umanisti, i governanti, e se grande prestigio hanno sull'ambiente di Firenze le figure di Donatello e di Brunelleschi, Masaccio si muove, si arrovella, guarda, sbatte, tasta le cose che ha intorno, stabilisce le dimensioni del suo mondo dall'angolo di una casa a una collina, ridiscende fino al fiume, incontra il pescatore, il mendicante, il contadino, con i quali scambia una parola: un mondo di uomini che ha coscienza degli impegni della vita come della ma-

terialità della sua esistenza. Ma proprio attraverso
questa acquisizione della realtà sono infranti i limiti
dell'urgenza autobiografica e della confidenza emotiva, cioè nella presa di possesso del proprio dolore
come di una cosa che può essere analizzata e sposta-
ta, e quindi espressa. Masaccio acquisisce la sua prodigiosa cultura, che resterà sempre venata di una severa tristezza e di una grossolana colpa (quelle che
lo costringeranno a rinunciare a dipingere la faccia
di Cristo nell'affresco del *Tributo,* la quale sarebbe

dovuta essere bionda e accattivante per i canoni della devozione), ma che darà ai suoi risultati un significato universale e perenne.

Con la crisi del senso trascendente della natura e della storia comincia a svuotarsi il dominio temporale e culturale della Chiesa, che aveva improntato tutte le vicende del Medioevo.

Il Rinascimento ha fissato in due fasi questo processo. La prima attraverso il recupero di un modello di cultura antropocentrico, ma ancora di tipo classico-aristocratico, che doveva servire anche come nuova base di legittimità per il 'Principe', ma non a scardinare l'ordine gerarchico 'naturale'. La seconda, in cui il centro di gravità e d'autonomia veniva fondato nel 'soggetto', come interprete delle leggi della natura e autore della storia: anche se si trattava ancora di soggettività privilegiata e ristretta, era già in procinto di progettare nuovi 'ordini' nella natura e nella società (Nascita della Scienza e della Nova scienza).

Nella prima fase di questo processo, nel Quattrocento, la pittura afferma una doppia funzione rivoluzionaria: essa era praticata da artigiani, figli di popolo (di un barbiere, Paolo Uccello; di un calzolaio, Piero della Francesca; di un macellaio, Filippo Lippi), e considerata una delle arti meccaniche.

In realtà e con questo sentimento, attraverso la novità della prospettiva si compiono due operazioni: si fonda l'arte sulla scienza, si elevano i protagonisti popolari di arti 'meccaniche' alla dignità delle arti liberali, con il vantaggio di una doppia integrazione culturale e sociale. L'ideale quattrocentesco di una cultura unitaria, da contrapporre e sostituire a quella totale teologica, si realizza contemporaneamente all'ideale conoscitivo del mondo attraverso la logica concreta della pittura-scienza, contrapposta alla logica aristotelica degli universali astratti. È l'ideale teorizzato

Masaccio
San Pietro risana gli storpi con l'ombra, 1425-28
Firenze, Chiesa del Carmine, Cappella Brancacci

dai Coluccio Salutati, Marsilio Ficino, Nicolò Cusano: e significa non solo l'affermazione del realismo umanistico, ma la interpretazione aperta del platonismo.

La prospettiva, attraverso l'ideale dell'occhio immobile, fissato dallo sgomento della rivelazione scientifica, costruisce però anche quel tipo di oggettività razionalistica in cui la storia si riduce ("le tre dimensioni sono il risultato di infinite dimensioni": Novalis) e si fissa sotto l'ordine invisibile delle relazioni matematiche. Se è vero che la terza dimensione introduce il ritmo del corpo in movimento e se "la sua teorizzazione", scrive Dino Formaggio, "segna la teorizzazione del moto avanzante dell'uomo (e della sua visione) e coincide con la suprema esaltazione dell'uomo che come corpo naturale entra nel mondo", è nel sentire la società non come natura data, con le sue gerarchie sociali, nell'introdurre nello "spettacolo geometrico" presenze di umanità marginale, nel rompere le regole materiali della gerarchia rispettando quelle formali della geometria euclidea, che Masaccio pratica la pittura rivoluzionaria del Quattrocento in maniera rivoluzionaria.

Il valore della sua opera si amplia oltre i limiti storici e biografici del suo tempo, e indica anche dal di dentro della pittura, nel modo in cui stabilisce in termini plastici il valore permanente e tragico del sottosuolo della storia, il rischio di restaurazione che è dentro ogni rivoluzione razionalistica. Nella crisi di transizione fra i due mondi, che si svolge al livello dei poteri e dei valori del nuovo dominio, Masaccio salva definitivamente la pittura italiana dall'iconismo consolatorio, anche se prima di lui Giotto e i Lorenzetti erano già andati al di là della "tavola" e lavorando sui muri avevano dovuto affrontare i nodi del racconto e la vertigine della prospettiva, riuscendoci con purissimi grigi, rosa, rossi, gialli copiosi, e campi, collinette e vigneti, da commuovere a mag-

Masaccio
Trinità, 1425-28
Firenze, Santa Maria Novella

56

gior ragione un buon figliolo di campagna. Masaccio allarga la pittura e vi mette dentro aria e vi impasta terra, fino a costruire quelle figure ignote, ma vere e larghe di riferimenti e di umanità, che potranno sostenere sulle loro spalle tutti gli sbagli della nostra storia civile, da quel 1425 ad oggi. I deboli di ingegno, i servitori dei principi fiaccati della seconda metà del '600, gli addetti culturali, gli organizzatori di festival, vorranno a un certo punto distruggerle e sarà solo una povera duchessa di Urbino, l'ultima dei Della Rovere, Vittoria, andata sposa il 1634 a un Medici duca di Firenze, sofferente anche lei per le sue proprie vicende di sposa e di madre, che ne capirà il significato e che le salverà. Così Firenze dovrà a questa duchessa anche gli affreschi del Carmine oltre al gruppo di tesori che l'infelice sposa aveva recato nella sua dote, spogliandone le stupende stanze di Urbino: i Piero della Francesca, i Tiziano, i Raffaello. In cambio ne avrà un mediocre ritratto del pittore fiammingo Justus Sustermans, che la rappresenta addirittura con i simboli della penitenza e dell'abbandono. La duchessa riuscirà a respingere l'attacco agli affreschi del Carmine portato da un certo marchese Ferroni, interprete delle esigenze di ammodernamento dei buoni frati. Contro marchesi del genere e contro tutti gli accomodamenti delle stesse realistiche e ministeriali esigenze, nell'avvicendamento secolare dei primi e dei secondi, questo popolo delle figure di Masaccio riuscirà a salvarsi, molto spesso dimenticato nel fondo della sua passione.

Su quei muri e in quei radi cortei è effigiata la qualità fisica di una resistenza civile, di un fronte perenne di umanità; l'occhio sempre aperto o distolto per la compassione, o inclinato nella meditazione, guidato, dritto, teso, sempre all'altezza dell'uomo, da una coscienza che sta per arrivare alle labbra, che parrebbe disserrarle con un discorso.

Masaccio
Cacciata di Adamo ed Eva,
1425-28
Firenze, Chiesa del Carmine,
Cappella Brancacci

Masolino
Tentazione di Adamo ed Eva,
1425-28
Firenze, Chiesa del Carmine,
Cappella Brancacci

Ma questi uomini di Masaccio sono muti, come se avessero pronunciato tutte le parole prima, ed egli le avesse solidificate in quella pittura e in quegli spazi o che le avesse portate strette dentro di sé sino al momento della sua scomparsa a Roma; muti, anche perché a tutto sembra sovrastare l'urlo strappato di Adamo e di Eva scacciati dal Paradiso. Eva apre la bocca per liberarsi dell'empito: lo guarda salire verso il primo cielo, immediatamente sopra la sua testa, là dove stanno i piedi di Dio e quelli dei prepotenti: la sua sorte di femminile soggezione ne discende e la imbianca e la imbellisce. Adamo invece inghiotte l'urlo, e con il gesto stesso delle mani se lo porta dalla testa, dalla fronte, dagli occhi, attraverso una rapida bocca, e l'acutezza del mento, giù dentro il petto, che lo rinserra strutturandosene, gonfiandosene fino a inarcare la schiena.

Alla fine, dopo che il silenzio gravido ha percorso le scene nell'eco dell'urlo del primo uomo, legando diversi quadri con i gesti, i panneggi e le gambe del giovane e dei miracolati, le finestre e la profondità delle strade, pare che uno degli uomini stia per parlare: quello che, a fianco della cattedra gialla di san Pietro, unico leva gli occhi verso di noi per guardarci, unico ad avere le guance animate da un soffio e il labbro appena sollevato: l'ultimo, colui che raffigura Masaccio. Da quel momento egli è pronto a sparire. Passa senza indulgenza e, finito il suo lavoro, esplora il suo mondo, stabilitane la storia (e quella propria), fissatane l'asperità terrestre nelle colline, nei calanchi, nella vegetazione rada e accanita, e la speranza di qualche bianco castello o clivo più dolce e verde, fugge per Roma, perché in San Giovanni Valdarno e Firenze ha toccato e visto tutto, capito quello che c'era da capire: ne ha ricevuto un buon mestiere e un'età e un corpo da uomo, anche se alla meglio infagottato. Masaccio crede di poter cominciare a fare il pittore a Roma: la sua forza, la sua purezza amorosa, i risultati di Pisa e di Firenze, un cavallo, una strada e l'ansia che ancora lo preme gli sono sufficienti per partire. Ha davanti a sé un viaggio e una città favolosa, un mondo ancora vastissimo e oscuro che ha appena intravisto qualche anno prima. È pronto a rischiare se stesso, a perdersi del tutto dentro la grande macchia che aleggia su Roma, è pronto ad affrontare competizioni, comitive, ad allargare il cerchio, a discutere, a conquistare. Nella sua pittura non ci sono ancora l'impasto e l'ornamento della sensualità: forse a quell'età di ventisei anni anche questa, come dote razionale, come stimolo della ricerca, comincia a spingerlo. Masaccio sparisce dentro Roma, senza testimonianze, senza spettacolo; distoglie gli occhi, muove una mano, un ginocchio: le sue giunture ancora spesse s'irrigidiscono; si dissangua per una ferita o si estenua nel tremito di una febbre, o cade da cavallo, o sparisce in chissà quale lotta o inganno della città.

"Dicesi morto a Roma per veleno": è la notizia che corre a Firenze fra creditori e notai.

PIERO DELLA FRANCESCA
la luce del presente

Oreste del Buono

"Perché tu deponga ogni preoccupazione nei miei riguardi, ti farò conoscere qual è la natura del clima, la situazione del territorio, l'amenità della villa; e ciò rallegrerà te di saperlo, me di narrarlo...", così Plinio il Giovane rassicurava il sodale Domizio Apollinare circa il suo soggiorno nell'alta Valle Tiberina. L'inverno è freddo e asciutto, ma tollera, rigoglioso, l'alloro. L'estate è di una meravigliosa mitezza, l'aria è sempre mossa da qualche corrente, comunque son sempre più frequenti le brezze che i venti. In questa accogliente piana cinta da monti coronati di boschi abbondanti di selvaggina, tra questi colli fertili di messi appena tardive, tra questi pingui vigneti senza fine, in riva a questo fiume che almeno per due stagioni è in grado di trasportare verso la città i prodotti della terra, in questo anfiteatro immenso, la vita resiste rigogliosa al pari dell'alloro. Qui si possono incontrare i nonni e i bisnonni di giovani già maturi, qui si possono ascoltare vecchie storie e discorsi da antenati, qui è come se gli anni non trascorressero, come se l'età non logorasse gli uomini, in questa luce il futuro non inquieta, e il passato è domestico. "Proveresti un gran piacere a riguardare questa regione dall'alto dei colli: ti parrebbe, infatti, di scorgere non un territorio, ma un quadro dipinto con incredibile maestria: da così copiosa varietà, da così felice disposizione, gli occhi, ovunque si posino, traggono diletto...". Difficile essere più espliciti e convincenti. Il quadro esiste già, il pittore arriverà mille e trecento anni dopo, in compenso la sua maestria sarà davvero incredibile.

Piero dei Franceschi, detto comunemente della Francesca, nasce a Borgo San Sepolcro, nell'alta Val-

pagina 62:
Piero della Francesca
Madonna del parto, 1460
particolare
Monterchi,
Edificio dell'ex-scuola

pagina a fianco:
Piero della Francesca
Battesimo di Cristo, 1440-45,
particolare
Londra, National Gallery

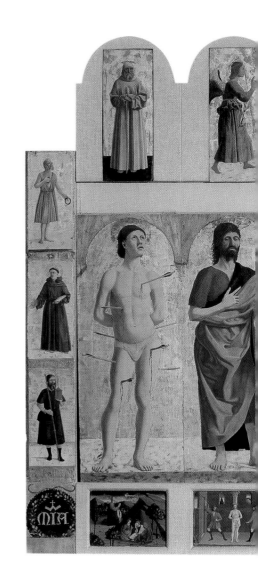

Piero della Francesca
Polittico della misericordia,
1445 ca.
Sansepolcro,
Pinacoteca Comunale

Piero della Francesca
Flagellazione, 1450-60
Urbino, Palazzo Ducale

le Tiberina, ai confini fra Toscana e Umbria, verso il 1420, primogenito di un calzolaio e conciapelli. A quanto si ricava dalle vecchie carte, la sua vita non è affollata di avvenimenti eccezionali. Viaggia per lavoro, ovviamente, ma appena ne è in grado torna in patria, e le memorie ufficiali o ufficiose son quasi tutte locali, la ricevuta di qualche pagamento di commissioni, la nomina a qualche carica pubblica, una citazione per morosità tributaria, la disposizione autografa per il notaio incaricato di redigere il testamento, e infine l'iscrizione nel libro dei morti; ricordi civili e pudichi, rare tracce di un passaggio terreno ben altrimenti attestato dalle opere. E tuttavia la prima notizia che si reperisce su Piero non viene dalla patria, ed è fondamentale per apprezzarne subito la carriera. La contengono certi documenti dello Spedale di Santa Maria Nuova in Firenze relativi ai pagamenti a Domenico Veneziano per le pitture nel coro di Sant'Egidio. "Pietro di Benedetto dal Borgo a San Sepolcro, sta chollui…", informa l'annotazione in margine, e la data è il 1439. Per un ragazzo con vocazione all'arte, Firenze è appunto la città in cui andare a progredire, la città in cui imparare pittura e scienza all'ombra dell'ardita struttura spaziale del Brunelleschi, erta sopra i cieli e tanto ampia da coprire tutti i popoli toscani. "Piacemi il pittore sia dotto in quanto e' possa in tutte l'arte liberali ma imprima desidero sappi giometria… I nostri dirozzamenti, da i quali si exprime tutta la perfetta absoluta arte di dipigniere, saranno intesi facile dal geometra, ma a chi sia ignorante in geometria né intenderà quelle né alcun'altra ragione di dipigniere: pertanto affermo sia necessario al pittore imprendere geometria…", sono le nuove norme teorizzate dall'Alberti nel trattato *Della pittura*, che è proprio degli anni dell'apprendistato fiorentino di Piero. E Piero diventa scienziato per essere miglior pittore.

È l'adozione definitiva della prospettiva la grande avventura intellettuale, prima che tecnica, che Piero comincia a vivere a Firenze.

Come scrive il direttore del laboratorio di psicologia dell'Università di Cambridge, Gregory: "La prospettiva rappresenta per l'arte un'acquisizione assai recente. I popoli primitivi e le civiltà successive sino al Rinascimento italiano ignorano i principi prospettici... È veramente sorprendente il fatto che la prospettiva geometrica, basata su principi elementari, sia stata attuata tanto tardi dagli uomini, tanto più tardi del fuoco o della ruota, soprattutto quando si pensi che il senso della prospettiva, essendo parte della capacità di vedere, è sempre esistito...". Giudicare con il senno di poi è semplice, l'approdo alla prospettiva è meno improvviso e drastico, più mediato e meditato, né risulta ancora chiaro se sia lecito parlare di scoperta o di riscoperta rinascimentale. È lecito piuttosto parlare di teorizzazione rinascimentale: per tutta l'antichità classica e il medioevo non pare valida alcuna distinzione fra ottica e prospettiva; i trattati enunciano i fenomeni della visione sotto forma di leggi, l'antichità classica con maggiore attenzione alle conseguenze geometriche, il medioevo ai meccanismi fisici; i problemi della rappresentazione artistica restano comunque estranei a qualsiasi ricerca. Solo con il Rinascimento, appunto, si distingue tra ottica e prospettiva, e i trattati, quello di Piero dopo quello dell'Alberti, si ricollegano alle leggi della visione come a un presupposto necessario ma al tempo stesso scontato: da lì, da Euclide, discende il loro insegnamento; il loro insegnamento, comunque, mira a divulgare le regole e i procedimenti della rappresentazione artistica. *De perspectiva pingendi* è il titolo del trattato che Piero offre al duca Federico d'Urbino. Nella prima delle tre parti che lo compongono vengono messe in prospettiva fi-

Piero della Francesca
Flagellazione, 1450-60
Urbino, Palazzo Ducale

gure piane, nella seconda è la volta dei solidi, nella terza in special modo delle teste umane. Il processo è lo stesso definito dall'Alberti "costruzione legittima". Piero, più che vere e proprie novità, aggiunge dolcissimo e, a tratti, persino enfatico rigore. Per esempio, eccolo, a proposito delle cosiddette aberrazioni marginali, dichiararsi perfettamente consapevole dell'innegabile dissenso tra la costruzione prospettica e l'effettiva impressione visiva, e da questa consapevolezza passare senza esitazioni a proclamare la superiorità della rappresentazione artistica. Nella costruzione prospettica di un colonnato visto frontalmente, le dimensioni dei singoli elementi uguali tendono ad aumentare verso i margini, ma Piero non suggerisce un qualsiasi rimedio, tutt'altro. "Io intendo di dimostrare così essere e doversi fare..." La scelta di Piero scaturisce dalla ricchezza, non dalla povertà del temperamento, è un atto di fede, non un adeguamento a una moda.

Quando è apprendista a Firenze, Piero ha sotto gli occhi la *Trinità* di Masaccio in Santa Maria Novella, la prepotente, drammatica, spettacolosa applicazione pittorica delle proposte del Brunelleschi, di quei rapporti architettonici e spaziali che intanto va asserendo l'Alberti. Ma il maestro con il quale Piero lavora è, probabilmente non a caso, Domenico Veneziano, aperto alle possibilità e alle promesse della prospettiva, comunque più appassionato ancora alla bellezza del colore come estrema libertà e aristocrazia della pittura. Masaccio, l'Alberti, Domenico Veneziano: certo, l'educazione artistica di Piero non si conduce solo su questi nomi, Firenze è tutta un museo e un laboratorio, da Giotto al Beato Angelico, la citazione di Masaccio, dell'Alberti, di Domenico Veneziano fornisce appena una traccia, con il tanto di arbitrario che è in ogni semplificazione, di un procedere verso l'assoluta originalità; quel momento in cui

Piero della Francesca
Battesimo di Cristo, 1440-45,
Londra, National Gallery

72

cadono i prestiti, i ricalchi, le suggestioni. Uno impara esclusivamente quello che sa, lo studio gli serve a capire quello, e non altro. Il *Battesimo*, per concorde ammissione dei critici una delle prime opere di Piero, è la testimonianza di come il pittore borghigiano abbia imparato. La tavola è immobile di luce, anche il gesto al quale è dedicata pare senza moto, già deciso una volta per tutte, in procinto di non accadere mai, fermato per sempre nella tregua irreparabile dell'esecuzione. Il Battista, con la mano destra levata secondo la richiesta del rito, la mano sinistra sospesa a metà, quel piede puntato a recuperare lo slancio, e invece assorbito dal resto della tavola in una posizione definitiva, indispensabile al generale equilibrio, non è dal pittore più amato dell'albero con il tronco così chiaro e il fogliame così fitto che ugualmente fiancheggia il Cristo sottomesso e imponente. O, per maggiore esattezza, l'albero non è meno amato del Battista, il che suona diverso, non tanto una mera inversione dei termini del raffronto, quanto una modificazione da negativa a positiva della sostanza. La dichiarata centralità del Cristo scompare nella luce meridiana, e il sacro della tavola deriva non dal soggetto, ma dal prodigio dell'esecuzione: l'immedesimazione tra umanità e natura, questo scambio di esistenze cospiranti in perfezione pittorica. È più che possibile, ovviamente, la ricerca dei riferimenti culturali ammissibili o inammissibili, imprecisi o precisi, ma davanti alla compiutezza della tavola l'erudizione cede volentieri all'ammirazione. Piero, attraverso i suoi maestri e la sua prospettiva, ha ricostruito la nozione che possiede da sempre: il paesaggio che circonda il rustico battezzante, il selvatico battezzato, gli appetitosi angeli androgini, il plastico catecumeno di rincalzo e gli addobbati dottori orientali è quello dell'alta Valle Tiberina, capace di fare estasiare secoli e secoli prima Plinio il Giovane, il paesaggio familiare in attesa di un pittore. Lo stesso? Diciamo che gli somiglia molto, che comunica lo stesso senso meraviglioso di armonia. Non è il riconoscimento, non è la riscoperta del paesaggio familiare a contare; allora si tratterebbe di un puro dato occasionale: a contare è la consapevolezza, la fede di Piero nelle regole per ricreare quell'armonia. Sono le regole che costruiscono il mondo nelle sue opere, vi compaia il paesaggio familiare o un fondo d'oro, o un'architettura albertiana, le regole di una coralità dello spettacolo superiore agli affanni e alle affermazioni dei personaggi.

C'è una bella pagina sulla pittura toscana in *Noces* di Camus, a commento di un viaggio nel nostro paese. Il pittore toscano non dipinge un sorriso labile o un pudore fugace, non dipinge rimpianto o attesa, ma rilievo di ossa e calore di sangue. Da queste facce coagulate in linee eterne scaccia per sempre la maledizione dell'anima. "A prezzo della speranza. Perché il corpo ignora la speranza. Esso non conosce che il pulsare del sangue. L'eternità che gli è propria è fatta di indifferenza. Come quella *Flagellazione* di Piero della Francesca in cui, in una corte lavata di fresco, il Cristo giustiziato e il carnefice dalle grosse membra lasciano sorprendere nei loro atteggiamenti lo stesso distacco. Questo supplizio, infatti, non ha seguito. E la sua lezione si ferma alla cornice della tela. Perché commuoversi per chi non aspetta il domani?..." Questa impassibilità e questa grandezza dell'uomo senza speranza è proprio quanto avveduti teologi hanno chiamato inferno. "E l'inferno, come tutti sanno, è anche sofferenza della carne. A questa carne si fermano i toscani, e non al suo destino..." Sono i giorni in cui Camus prova il tono del suo *Straniero*, ed è piuttosto toccante che uno dei più conclamati scrittori del nostro tempo voglia vedere un romanzo esistenzialista, il suo primo romanzo esi-

stenzialista, nella stupenda tavola di Urbino. Un brano suggestivo, s'è detto, ma che almeno a proposito di Piero, dopo aver intravisto gran parte della verità, va verso l'equivoco. Come all'equivoco finisce per tendere, anche se l'avvio polemico è legittimo, l'impulso che Berenson commenta nell'ultimo diario, *Sunset and Twilight*: "Qualche giorno fa mi è venuta la felice idea di scrivere sul favore popolare del quale gode in questo momento Piero della Francesca, e di spiegare questa sua popolarità. Intendevo scartare vari snobismi intellettuali che sono alla base della compatta ammirazione per lui, molto dovuta, secondo me, alla necessità di giustificare un analogo culto per Cézanne...". È l'impulso che spinge Berenson a comporre il suo *Piero della Francesca o dell'arte non eloquente*, un elegante, affascinante discorso che si perde un poco nel vuoto, nel tentativo di arrivare alla questione considerata fondamentale, che, oltre alle qualità tecniche, sia soprattutto la mancanza di sentimento di Piero, la mancanza di espressione dei suoi personaggi a impressionare. "Le sue figure si contentano di esistere. Esistono e basta. Non si danno nessuna pena di spiegare, di giustificare la loro presenza, di svegliare la simpatia, l'interesse dello spettatore. Cento anni fa Jacob Burckhardt, parlando di certe pale d'altare del tardo Bellini, le chiamava 'Existenzbilder', quadri di esistenza. Io oggi non oso quasi servirmi di questo termine per la paura che venga confuso con l'esistenzialismo, ovvero con una filosofia che non capisco. Eppure così sono le grandi arti figurative..." Anche Berenson afferra gran parte della verità, ma poi cerca di arrivare a una conclusione che ne è distante. La *Madonna col Bambino* nella Pala di Brera, di cui Berenson subisce l'incanto, è dipinta, né più né meno che la *Flagellazione* di Urbino, non per mancanza di sentimento di Piero, ma proprio per la sua straordi-

Piero della Francesca
Flagellazione, 1450-60,
particolare
Urbino, Palazzo Ducale

naria capacità di sentire, l'integerrima fede nelle regole dell'esecuzione pittorica come regole morali. Tra romanzo esistenzialista e quadro di esistenza, occorre cercare un punto intermedio. Il soggetto da cui di volta in volta Piero è scelto, una Flagellazione o una Madonna, la celebrazione di un Tiranno o una Resurrezione, è sempre superato dal fervido tramutarsi della scienza in arte, un'arte che eterni la bellezza, la compiutezza, l'armonia del creato.

Cinquecent'anni dopo Piero, Arezzo è ancora in gran parte salva dalla volgarità moderna, resti d'antica fierezza si ostinano almeno a suggerire un richiamo al passato. L'ostinazione ha i suoi rischi, quello soprattutto dell'angustia progressiva condiviso da ogni frammento illustre di terra toscana; ma ha pure, l'ostinazione, le sue rivalse, e stupenda è la rivalsa delle *Storie della vera Croce* affrescate da Piero nel coro di San Francesco; ammessi alla loro presenza, avvertiamo svanire in fretta le nostre malinconie di pensionati di una civiltà che, a tratti, capita di temere più remota di quella romana o greca. Piero comincia a lavorare ad Arezzo, capitale della sua patria, verso il 1453. Dopo l'apprendistato fiorentino, ha ricevuto i primi incarichi a Borgo San Sepolcro, ma ha soprattutto viaggiato, ha dipinto a Urbino, alla corte di Federico da Montefeltro, a Ferrara, in quella di Lionello d'Este, a Rimini, in quella di Sigismondo Pandolfo Malatesta, principi benevoli o nefandi, ugualmente rinomati per la passione in questioni d'arte. La competenza dei committenti attira l'attenzione e anche la curiosità degli aretini sul conterraneo. Arezzo, in arte, è tradizionale, comunque i discendenti del ricco speziale Baccio di Magio si son rivolti per la decorazione della cappella di San Francesco non al rappresentante del gotico locale Parri Spinelli, ma a un mediocre fiorentino, Bicci di Lorenzo, vecchio praticone che ha preso ad affrescare

Piero della Francesca
Sacra Conversazione, 1472-74
Milano, Pinacoteca di Brera

il Giudizio finale nella fronte della cappella, i quattro Evangelisti nelle vele della volta e i Dottori della Chiesa nell'intradosso dell'arco trionfale, senza nerbo, con lentezza, quasi non volendo affaticarsi troppo prima della morte. E la morte, infatti, è intervenuta; dei Dottori, Bicci di Lorenzo ne ha dipinti solo due, e poi ha lasciato l'impresa nel 1452. A Piero spetta la celebrazione della leggenda della Croce, un ciclo probabilmente suggerito da qualche francescano, informato alla *Leggenda aurea* di Jacopo da Varagine, ma anche alla propaganda contro i Turchi ovviamente connessa alla sorte di Costantinopoli e dell'Impero Romano d'Oriente. Tuttavia, tra fascini leggendari e rancori presenti, Piero sceglie, secondo una cronologia rarefatta, quelle poche storie nelle quali intravede maggiori possibilità visive.

Adamo morente ordina al figlio Seth di chiedere all'angelo guardiano quell'olio di salvazione che gli è stato promesso alla cacciata dal Paradiso terrestre, ma dall'angelo guardiano Seth ottiene tre semi da porre in bocca al padre ormai morto; da quei semi germoglierà l'albero destinato a fornire il legno della Croce. La regina di Saba, recandosi in visita a Salomone in Gerusalemme, è come folgorata d'improvviso dalla rivelazione che il ponticello del fiume Siloe è costruito con il legno della Croce, e dunque si inginocchia ad adorarlo prima di passare nella reggia, a partecipare la rivelazione al sovrano saggio. Salomone, preoccupato del destino di quel legno già sacro, lo fa rimuovere e sotterrare profondamente perché ne scompaia ogni traccia. Ma tutto deve accadere, l'angelo con una palma tra le dita annuncia alla Vergine l'inevitabile morte del figlio che sarà inchiodato alla Croce. L'imperatore Costantino, alla vigilia di affrontare Massenzio a ponte Milvio, sogna che un angelo gli imponga di combattere in nome della Croce, e il giorno successivo incede incontro al

Piero della Francesca
Il sogno di Costantino,
1452-62
Arezzo, San Francesco

Piero della Francesca
La vittoria di Costantino,
1452-62, particolare
Arezzo, San Francesco

Piero della Francesca
Resurrezione, 1463 ca.,
Sansepolcro,
Pinacoteca Civica

nemico impugnando la piccola croce d'avorio, alla
cui vista Massenzio e i suoi non tentano neppure di
resistere, fuggono, risalendo in disordine il Tevere.
Sant'Elena ricerca la Croce; Giuda, l'ebreo che sa
dove il legno sacro sia stato celato dopo la morte del
Cristo, è sottoposto a tortura, il giudice gli tira i capelli per estorcergli il segreto. Giuda finisce per con-
fessare, il legno della Croce viene esumato e riconosciuto per mezzo di un miracolo, il risanamento di un
giovane morto, prodigio davanti al quale sant'Elena
e il suo seguito cadono in ginocchio. Cosroe, re persiano, ha ornato il suo trono con la Croce predata a
Gerusalemme; ma l'imperatore d'Oriente, Eraclio,
gli muove contro, il figlio di Cosroe soccombe nella
lotta e il re persiano aspetta di esser decapitato, do-

po aver rifiutato di convertirsi. Eraclio riporta la croce a Gerusalemme, vorrebbe celebrare il suo trionfo sui persiani, ma le porte chiuse della città lo respingono perché si convinca all'umiltà, e appunto umile, spogliato di qualsiasi insegna del suo imperio, chino sotto il greve peso del legno sacro, l'imperatore ottiene di entrare.

Un riassunto di soggetti, anche secondo la minima cronologia che gli affreschi non rispettano, può apparire scucito e arbitrario, ma il tempo è risolto in spazio, il presente di Piero congloba i secoli, per assonanze cromatiche, la coerenza delle immagini è tale che dallo scempio della narrazione deliberatamente perpetrato scaturisce per chi guarda un inebriante rapimento. Nell'irradiare lieve dei colori sull'arduo ordito, dettato dal religioso rigore di Piero, è la apparente sconfessione di ogni contenutismo e dinamismo: una rustica e arcaica umanità come recuperata dalle statue classiche coesiste con un'umanità evoluta ed elegante come prelevata dalle corti rinascimentali, i grandi corpi poderosi di giganti e gigantesse non disdegnano di proporsi addirittura per goffi, e da questa goffaggine traggono maggiore solennità, la solennità di esistere nell'ubbidienza alle leggi geometriche che li hanno creati più vivi dei vivi, eternamente vivi, esattamente compresi, esattamente previsti nella sovranità dello spazio. L'esistenza, l'assoluto presente, è più importante degli scopi e dei fraintendimenti umani, l'esistenza animale, vegetale, minerale superiore ai fatti atroci o gloriosi, tragici o umili, devoti o superbi, l'esistenza di questo culmine d'arte raggiunto attraverso la scienza, di questa verifica così evidente della più astratta delle teorie.

ANTONELLO DA MESSINA
l'ordine delle somiglianze

Leonardo Sciascia

"E, stato pochi mesi a Messina, se n'andò a Vinezia; dove, per essere persona molto dedita a' piaceri e tutta venerea, si risolvé abitar sempre e quivi finire la sua vita, dove aveva trovato un modo di vivere appunto secondo il suo gusto".

Così il Vasari di Antonello da Messina che torna "per riveder la sua patria" dopo un viaggio in Italia e nelle Fiandre. E viene la tentazione di cercare riscontro a questa "persona molto dedita a' piaceri e tutta venerea", alla distanza di cinque secoli, nei personaggi di Brancati, in tutti quei personaggi che pensano "sempre a una cosa, a una sola cosa, a quella!", e più precisamente a quelli del Don Giovanni in Sicilia: "Ma il verme dei viaggi era entrato nei loro cervelli, e non smetteva di roderli... Anche il piacere di restare a letto, dopo essersi svegliati dal sonno pomeridiano, e di sprofondare gli occhi nel buio, ignorando se si guardi lontano o vicino, era guastato dal pensiero che, in quel preciso momento, i caffè di Via Veneto si riempivano di donne"; e Scannapieco che da Abbazia scrive agli amici del suo desiderio di essere sepolto in quella spiaggia, "in modo che mi passino sopra le più belle donne del mondo!", e tornato a Catania riempie tutto un inverno di sospiri per Abbazia.

Ed è curioso come giudizi sui siciliani e rappresentazioni dell'uomo siciliano conservino, a distanza di cinque o di dieci o di venti secoli, una loro validità e verità: da Cicerone ("gente acuta e sospettosa, nata per le controversie") a Scipio di Castro ("la lor natura è composta di due estremi, perché sono sommamente timidi, sommamente temerarj") a Giovanni Maria Cecchi ("altieri, e dove non c'è differenza grande di titolo, non si cedono l'uno all'altro; ardenti

pagina 86:
Antonello da Messina
San Gerolamo nello studio,
1474, Londra,
National Gallery

pagina a fianco:
Antonello da Messina
Ritratto d'uomo, 1470
Cefalù, Museo della
Fondazione Mandralisca

amici e pessimi inimici, subbietti ad odiarsi, invidiosi e di lingua velenosa, di intelletto secco, atti ad apprendere con facilità varie cose; e in ciascuna loro operazione usano astuzia"); da Argisto Giuffredi, palermitano, autore di un malnoto libro di *Avvertimenti cristiani* da cui vien fuori, nel secolo XVI, quello che possiamo dire l'uomo verghiano, a Giovanni Verga appunto; da Antonello personaggio, e pittore di personaggi, a Pirandello a Brancati a Lampedusa. E anzi l'esplicito astoricismo del Lampedusa, il suo prendere e lasciare l'uomo siciliano per come sempre è stato e per come sempre sarà, nasce proprio dall'apparenza e illusione di una inalterata e inalterabile continuità del 'modo di essere' siciliano. Perché altro non può essere che apparenza, che illusione, una così assoluta refrattarietà alla storia di quella parte della realtà umana che chiamiamo Sicilia, che pure è situata nel crogiuolo della storia.

Ma il fatto è che questa apparenza, questa illusione, sorge dalla realtà siciliana, dal 'modo di essere' siciliano: e dunque ne è parte, intrinsecamente. Ci troviamo insomma in un circolo vizioso, in una specie di aporia; che è poi la sostanza di quella nozione della Sicilia che è insieme luogo comune, 'idea corrente', e motivo di univoca e profonda ispirazione nella letteratura e nell'arte.

Antonello, dunque: e il suo essere siciliano, come personaggio e come artista; come uomo insomma la cui vita, la cui visione della vita, il cui modo di esprimere nell'arte la vita, sono irreversibilmente condizionati dai luoghi dagli ambienti dalle persone tra cui si trova a nascere e a passare l'infanzia, l'adolescenza.

Un critico letterario dei giorni nostri ha dichiarato che non riesce a capire come si possa legare a un luogo una vita, e l'opera di tutta una vita; per parte nostra non riusciamo a capire come si possa far critica senza aver capito questo inalienabile e inesauribile

Antonello da Messina
Ritratto d'uomo, 1475-76
Londra,
National Gallery

Antonello da Messina
Annunciata, 1475
Palermo,
Galleria Nazionale

rapporto, in tutte le sue infinite possibilità di molti-
plicarsi e rifrangersi, di assottigliarsi, di mimetizzarsi,
di essere rimosso e nascosto. Nessuno è mai riuscito a
rompere del tutto questo rapporto, a sradicarsi completamente da questa condizione; e i siciliani meno degli altri. E ad aprire (e forse, effettualmente, a chiudere) il nostro breve discorso su Antonello ci soccorre
questa acuta notazione di Antonio Castelli, il quale,
per essere nato a Cefalù, non è improbabile sentisse
nello scriverla, vagamente e sottilmente, il suggerimento di quel prodigioso ritratto di Antonello che si

trova nel cefalutano Museo Mandralisca: "Nella comunità alla quale apparteniamo, nel paese dove nasciamo, risiede la nostra nozione del colore; e la nostra misura d'uomo è regolata su un ordine bioetnico delle somiglianze. Sono l'assoluto fisiognomico e l'assoluto cromatico, calati nel crogiuolo della terra natia, a modulare il nostro consistere".

"L'ordine bioetnico delle somiglianze", da cui scatta "l'assoluto fisiognomico": sono espressioni che immediatamente ci collegano ai personaggi di Antonello. Anche ai santi. Anche alle Madonne.

Il giuoco delle somiglianze è in Sicilia uno scandaglio delicato e sensibilissimo, uno strumento di conoscenza. A chi somiglia il bambino appena nato? A chi il socio, il vicino di casa, il compagno di viaggio? A chi la Madonna che è sull'altare, il Pantocrator di Monreale, il mostro di villa Palagonia? Non c'è ordine senza le somiglianze, non c'è conoscenza, non c'è giudizio. I ritratti di Antonello 'somigliano'; sono l'idea stessa, l'*archè*, della somiglianza. A ciascuno si possono adattare tutte le definizioni che sono state date dei siciliani, da Cicerone a Tomasi di Lampedusa: sono chiusi sospettosi sofisti; amano contraddirsi e contraddire, complicare le cose con l'astuzia e risolverle con secco intelletto; sono sensuali avidi violenti, tesi al possesso della donna e della roba, ma in ogni loro pensiero è annidata accettata vagheggiata la morte.

A chi somiglia l'ignoto del Museo Mandralisca? Al mafioso della campagna e a quello dei quartieri alti, al deputato che siede sui banchi della destra e a quello che siede sui banchi della sinistra, al contadino e al principe del foro; somiglia a chi scrive questa nota (ci è stato detto); e certamente somiglia ad Antonello. E provatevi a stabilire la condizione sociale e la particolare umanità del personaggio. Impossibile. È un nobile o un plebeo? Un notaro o un contadino? Un uomo onesto o un gaglioffo? Un pittore un poeta un sicario?

'Somiglia', ecco tutto.

E le Madonne, le donne. "In queste donne la pudica timidezza, che contrasta col calore del temperamento, fa sbocciare sui loro volti una grazia contrastata tutta particolare… Col volto stretto tra le falde della mantellina, essa par chiusa in un'armatura che sa di chiostro e d'ovile. Questo classico copricapo rende la fragranza delle sue guance e l'ardore dei suoi occhi, favolosi e irraggiungibili". E non è delle Annunciate di Antonello che ora si trovano a Palermo a Venezia e a Monaco che parla Nino Savarese, ma della donna dei paesi siciliani dell'interno, poco prima dell'ultima guerra mondiale.

Ne abbiamo ricordo anche noi: le mantelline di vigogna nera foderate di raso, supremamente eleganti (a volte orlate da un cordoncino o filettate, come si vede nella *Madonna col Bambino* della National Gallery di Washington; più spesso lisce); e un tempo si portavano di colore diverso, secondo la condizione o l'età: azzurre bianche nere. Pare che bianche le portassero le donne dell'aristocrazia, nere le donne del popolo, azzurre le ragazze. Appunto azzurre le portano le Annunciate di Antonello: ragazze contadine che veramente sanno di chiostro e d'ovile, di quelle che nella settimana santa venivano scelte a rappresentare la Madonna o la Maddalena ai piedi della Croce e spesso erano causa di incidenti più o meno ridevoli, di incontenibili zuffe tra colui che rappresentava Cristo e colui che rappresentava san Giovanni, con conseguente partecipazione degli altri apostoli dei soldati romani degli spettatori. C'è in proposito, in ogni paese siciliano, una ricca tradizione: e quasi sempre riferisce del Cristo che, padre della ragazza che fa la Madonna o la Maddalena, vede dall'alto della Croce l'apostolo Giovanni stringersi un po' troppo a confortare la dolente; e dapprima ammonisce, poi si stacca dalla Croce e scende bestemmiando alle cosiddette vie di fatto.

Antonello da Messina
Madonna Benson, 1465-70
Washington,
National Gallery of Art

94

E a guardar bene le Madonne di Antonello si può anche immaginare il Cristo contadino che balza giù dalla croce, la zuffa che si accende. E di fronte all'*Annunciata* di Palermo, si noti la piega della mantellina che scende al centro della fronte: che per il pittore, al momento, avrà avuto un valore soltanto compositivo, ma a noi dice di un capo conservato nella cassapanca tra gli altri del corredo, e tirato fuori nei giorni solenni, nelle feste grandi; e si noti anche l'incongruenza, peraltro stupenda, della destra sospesa nel gesto ieratico (mentre è del tutto naturale al soggetto – diciamo alla donna contadina – il gesto della sinistra a chiudere i lembi della mantellina); e l'altra incongruenza di quel libro aperto, sul quale si ha il dubbio che mai gli occhi della giovane donna potrebbero posarsi a cogliere le parole e il senso; e poi il mistero del sorriso e dello sguardo, in cui aleggia carnale consapevolezza e nessun rapimento, nessuno stupore (se non si vuole, nel sorriso che appena affiora, scorgere magari un'ombra di malizia).

E si potrebbero fare osservazioni consimili anche sugli *Ecce Homo* sui *Crocifissi* sul *Salvator Mundi*: volti di ottuso dolore, maschere di carnale sofferenza; senza luce di divinità, senza coscienza del sacrificio da cui l'umanità intera sarà redenta. Uomini che soffrono la tortura, che subiscono il dileggio, che agonizzano inchiodati a una croce: vittime della ferocia umana e del destino.

E i luoghi, il paesaggio. Lo stretto di Messina che fa da sfondo alle Crocifissioni. La campagna che si intravede dalle finestre. La piazza che è scena di atroce indifferenza al martirio di san Sebastiano. E non diciamo che questa piazza, del *San Sebastiano* di Dresda, sia nell'architettura riconoscibile come siciliana; al contrario, anzi, riteniamo sia stata da Antonello inventata, su elementi di varia provenienza, nella ricerca di un rapporto tra architetture e figure che

Antonello da Messina
Salvator Mundi, 1475
Londra,
National Gallery

è poi uno dei più perfetti che siano mai stati conse-
guiti nella pittura. Ma nella donna che si affaccia da
una quinta col bambino in braccio, nelle figure che
si affacciano ai terrazzi, nelle graste e nelle grate, in
quella borraccia appesa a lato alla finestra alta, c'è
un'aria di casa, di pomeriggio messinese. Si direbbe
che c'è scirocco: quello scirocco da cui l'inglese Bry-
done, a Messina, si sentiva trafitti i nervi quasi quanto san Sebastiano dalle frecce. E l'uomo stramazza-
to nel sonno sul pavimento nudo, la scena galante
che la coppia recita sotto il pergolato, le nuvole fer-

Antonello da Messina
San Sebastiano, 1475-76
Dresda,
Staatliche Gemäldegalerie

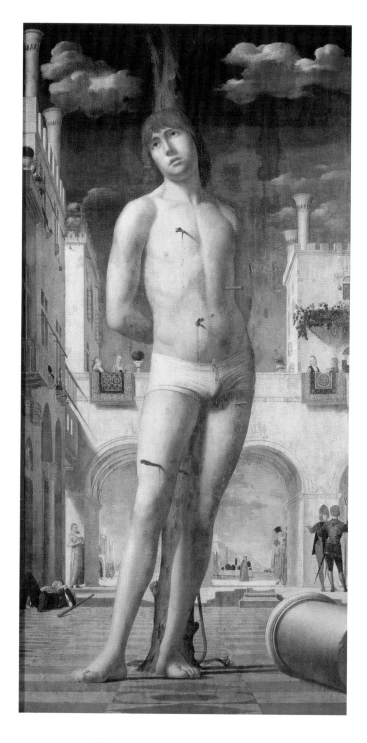

me, la luce: tutto sembra dire della snervata ora del pomeriggio sciroccoso.

Quante di queste ore Antonello avrà vissuto nella sua città? A parlare di pittura e di donne, a vagheggiare le donne di Venezia e a dipingere quelle del contado messinese, a tirare sul prezzo di una pala o di un gonfalone con preti e priori di confraternite, a litigare con i parenti, a pensare alla roba e all'anima (che è poi, per un siciliano, la stessa cosa).

E per un uomo così 'oggettivo', di quella 'oggettività' che David Herbert Lawrence attribuisce ai greci antichi e ai siciliani, che altro poteva essere l'anima se non "quel buffo, piccolo *alter ego*" che a forza di preghiere e di messe, cioè con l'accorgimento testamentario di un legato sulla roba, si può far passare dal purgatorio "a un giardino pieno di musica e fiori e popolato di gente pia"? "Una cosa oggettiva quanto la più oggettiva possibile", l'anima. E anche la morte, naturalmente. E proprio sul testamento d'Antonello ci viene da considerare quale fatto oggettivo sia per un siciliano la morte: una faccenda di tuniche e clamidi da lutto per il padre per la madre per sua figlia Fimia per sua sorella Orlanda (un'onza a testa); e per sé l'abito di frate dei Minori Osservanti: "quod cadaver meum seppelliatur in conventu Sancte Marie de Jesu cum habitu dicti conventus". Non è l'oggettività della morte che si stabilisce, inarrivabilmente, nell'agonia di Ivàn Il'ič; è un'oggettività, per così dire, figurata: di figure, di apparenze, quale poi sarà nella pena di vivere e di morire di un Pirandello.

E questa può essere la più ovvia conclusione su Antonello: che un uomo straordinariamente 'oggettivo' si è trovato a vivere e a esprimere compiutamente, impareggiabilmente, il momento più 'oggettivo' che la storia della pittura abbia mai toccato.

BOSCH
il maestro
del Giudizio Universale

Dino Buzzati

104

Poiché mi ero sempre molto interessato del pittore Hieronymus Bosch, durante un viaggio in Olanda andai a visitare la sua città, cioè 's-Hertogenbosch, detta anche Bois-le-Duc, che noi chiamiamo Bosco-ducale. E qui l'albergatore, persona abbastanza colta, mi disse: "Se non altro per curiosità, signore, perché non va a trovare il vecchio Peter van Teller? È un tipo un po' strambo, un orologiaio che vive di una piccola rendita dopo aver ceduto la sua bottega al nipote. Credo sia il decano di 's-Hertogenbosch. Per tutta la vita si è occupato di Bosch, è convinto anzi che Bosch sia un suo antenato da parte di madre. Su Bosch ha scritto anche un libretto, tanti anni fa, che a quei tempi fece un certo scandalo. Ha certe sue idee curiose. Chissà, un incontro potrebbe esserle utile…". Dicendo questo però sorrideva con una certa ironia, e io mi chiedevo se parlasse sul serio o invece intendesse prendermi benevolmente in giro.

All'indirizzo indicatomi, in una piccola strada dietro il palazzo municipale, trovai una casetta a due piani, di classico stile vecchia Olanda, un minuscolo giardino dinanzi, un grazioso bovindo al pianterreno, le finestre a tanti piccoli riquadri rettangolari, il tetto spiovente di mattoni con due occhi d'abbaino, chiuso ai lati da muri sagomati a gradini con in cima un galletto di ferro; e in vetta a uno dei tre alti camini qualcosa che forse poteva essere un nido di cicogna.

Tirai, al cancello, la maniglia della campanella, e dopo poco venne ad aprirmi una donnetta sui sessant'anni, straordinariamente linda, con una gentile cuffia bianca. Siccome parlava soltanto in olandese, non capii bene se fosse una donna di servizio oppure

pagina 102:
Hieronymus Bosch
Incoronazione di spine,
1500 ca.
Londra, National Gallery

pagina a fianco:
Hieronymus Bosch
Viandante, 1500 ca.
Rotterdam, Museum
Boymans-Van Beuningen

una parente del vecchio orologiaio. Per fortuna intervenne in aiuto un passante che conosceva il tedesco. Seppi così che van Teller era uscito per la passeggiata pomeridiana e non sarebbe rientrato che fra un'ora. Però, se non volevo aspettarlo, potevo raggiungerlo al giardino pubblico; van Teller sedeva sempre sulla terza panchina a destra entrando. E non potevo sbagliare: era l'uomo più vecchio di 's-Hertogenbosch e portava un cappello d'altri tempi a tesa larghissima.

Un passante mi indicò la strada e dopo pochi minuti vidi il curioso personaggio. Seduto da solo sulla panchina, le mani riunite sopra il ricurvo manico di un bastoncello, osservava la gente che passava, i bambini che giocavano, le mamme che accanto alle carrozzelle lavoravano a maglia o chiacchieravano, con espressione compiaciuta.

Quanti anni avrà avuto? Ottanta? Novanta? Duecento? Impressionante il numero di rughe che solcavano il volto scarno, eppure era ancora una fisionomia viva e in certo modo battagliera.

Come mi avvicinai e lui mi guardò, avvertii subito, vedendolo di faccia, una straordinaria rassomiglianza con l'unico sicuro ritratto di Hieronymus Bosch che si conosca, il disegno cioè che si conserva ad Arras; gli stessi occhi penetranti e maliziosi di falco, la stessa bocca perentoria che finisce in due pieghe alquanto beffarde. Il ritratto di Arras, che ci presenta il pittore già avanti negli anni, coincide perfettamente col volto dell'uomo che, sul fondo dell'*Incoronazione di spine* del Prado, osserva con pietà e riprovazione la tortura di Cristo; solo che qui Bosch appare coi folti capelli neri, nel pieno della virilità. Ebbene, il vecchietto che mi trovavo davanti, rispetto ai due noti ritratti, poteva rappresentare la terza tappa, quella che Bosch non fece in tempo a raggiungere. Era lo stesso uomo, pareva, arrivato alle soglie della decrepitezza.

Mi presentai e fui lieto di constatare che anche van Teller conosceva abbastanza bene il tedesco; cosicché la conversazione era facile. In compenso bisognava quasi urlargli nelle orecchie, tanto era sordo.

"Chi le ha detto di rivolgersi a me?" domandò per prima cosa. E come lo ebbe saputo, fece un breve sogghigno, quasi che stimasse l'albergatore persona poco raccomandabile. Poi tacque e riprese a guardare la gente, come se io non esistessi.

Era un dolce pomeriggio d'autunno e gli alberi intorno, che già cominciavano a spogliarsi, portavano i colori accesi e il patetico presentimento del trapasso.

Van Teller era vestito all'antica: una lunga giacca-palandrana che gli arrivava fin quasi ai ginocchi, una camicia dall'alto collo inamidato, una vasta cravatta nera alla Robespierre. Si riscosse, mi guardò, sorrise (aveva ancora i suoi denti): "Lei è venuto a cercarmi per il grande Hieronymus? Eh, eh. Innanzitutto è mio dovere avvertirla, signore, che qui in città mi considerano un matto". E fece una stridula risata da cornacchia.

Intanto mi ero seduto al suo fianco. Con una mano scheletrica ma tutt'altro che tremante, strinse una delle mie. "Ma lei, signore, viene da lontano, lei non può sapere nulla di questi pettegolezzi di provincia, a lei non possono interessare, però lei mi è simpatico, signore. A lei, se crede, posso dire alcune cose. Eh, eh. Avrà notato, immmagino, che io assomiglio a qualcuno!". "In modo sorprendente", dissi: "una coincidenza quasi incredibile". "Coincidenza, amico mio? Crede proprio si tratti di coincidenza?". "Intende dire, signor van Teller, che si tratta di sangue?". "Chissà, chissà", fece lui enigmatico: "certe cose noi non le potremo mai sapere". Dopodiché non si fece pregare per raccontarmi la sua storia.

pagine seguenti:
Hieronymus Bosch
Adorazione dei magi, 1510
Madrid, Prado

Figlio di un orologiaio, aveva seguito umilmente le orme paterne, occupandosi sempre del negozio ma, fin da ragazzo, una fortissima attrazione lo portava verso tutto ciò che riguardava il famoso pittore, ritenuto in famiglia un antenato di sua mamma, nata van Aken. Una tipica infatuazione di giovinezza, tuttavia abbastanza strana in lui, che aveva fatto solo le scuole commerciali. Sull'argomento, ancora adolescente, aveva letto tutto quello che gli era stato possibile; naturalmente alla biblioteca comunale di 's-Hertogenbosch i libri sul grande pittore non mancavano. Poi, fattosi uomo, era riuscito a vederli pressoché tutti, i celebri dipinti; era stato a Vienna, a Berlino, a Parigi, a Venezia, a Lisbona e più di una volta a Madrid.

Nel frattempo stava scendendo la sera, il giardino si era quasi vuotato del tutto, i viali assumevano quell'espressione enigmatica e circospetta della natura quando viene lasciata sola.

Mentre van Teller mi parlava, ebbi un piccolo soprassalto: con la coda dell'occhio mi era parso di vedere una cosa scura uscire da una siepe alle mie spalle e saltellare a scatti sull'erba; ma, come guardai, tutto era normale e tranquillo.

L'aria si era fatta piuttosto fresca, saliva l'umidità della notte, proposi a van Teller di accompagnarlo a casa. Egli tolse un antico orologio d'oro da un taschino del panciotto, esclamò: "Che sbadato. Sono già quasi le sette. Chissà la Margareta che cosa sta immaginando".

Ora il parco era diventato veramente deserto e poco rassicurante. Ancora qualche sparso pigolio qua e là di invisibili uccelli. Fruscii, scricchiolare di rami secchi, lievi ansiti del vespero tra i mucchietti di foglie secche. Ma a van Teller, che probabilmente aveva stufato a usura i concittadini con le sue vecchie storie, non sembrava vero di avere trovato un ascol-

tatore attento come me. E stava infervorandosi. Mi diceva come nessuno dei tanti critici che avevano scritto su Bosch, anche firme autorevoli e reputatissime, lo avesse persuaso. "Parlano dell'inferno, parlano della dannazione eterna, parlano di sant'Agostino, delle eresie, della riforma di Lutero, vanno a frugare nella vita privata di Hieronymus, che nessuno di loro può conoscere, riempiono centinaia di pagine con interpretazioni gigantesche. E la psicanalisi! E l'angoscia esistenziale con quattro secoli d'anticipo... C'è stato uno, perfino, che ha registrato uno per uno i mostri – eh, eh, li chiamano mostri – e li ha classificati come fossero tanti coleotteri, e per ciascuno ha trovato il tipo di nevrosi corrispondente. E poi il manicheismo immancabile. E i *refoulements* sessuali... i complessi aberranti... la componente sodomitica... l'esoterismo negromantico... Quanta fatica inutile!". Si era fermato, ora batteva per terra con rabbia la punta del sottile bastone: "Ma se è così semplice; così limpido! Se non è mai esistito un pittore più realista e chiaro di lui!... Altro che fantasie, altro che incubi, altro che magia nera... La realtà nuda e cruda che gli stava davanti... Solo che lui era un genio che vedeva quello che nessuno, prima di lui e dopo di lui, è stato capace di vedere. Tutto qui il suo segreto: era uno che vedeva e ha dipinto quello che vedeva...".

Io dissi: "Capisco. Certo, in sede letteraria, non si può negare... Però lei intende alludere, vero, a una realtà fantastica, a una realtà trasposta? Alla realtà dei sogni, delle paure, dei rimorsi? Tornerà sempre a suo merito, di Bosch, l'aver dato una forma concreta a questi fantasmi... Però lei non mi dirà che quegli esseri orrendi, rettili antropomorfi, osceni meccanismi, utensili trasformati in membra, gnomi e insetti abominevoli, lui li vedesse veramente, che quattro secoli fa girassero per le strade dell'Olanda".

Hieronymus Bosch
La nave dei folli, 1495-1500
Parigi, Louvre

pagine seguenti:
Hieronymus Bosch
Tentazioni di sant'Antonio,
1505-1506
Lisbona, Museu Nacional
de Arte Antigua

"Non li vedeva?" fece lui arrogante: "Non giravano per le nostre strade? Oh, non mi faccia parlare!". A questo punto non ebbe più riserve. Confessò che pure lui, non tutti i giorni ma abbastanza spesso, 'vedeva' il mondo come Bosch: quel pomeriggio, per esempio. Parecchie di quelle amorevoli mammine venute con la carrozzella del neonato non erano – mi garantì – che laidi uccelli dal becco adunco, lucertoloni neri gonfi d'odio, avidi cercopitechi sdentati, vesciche infami con gambe di ragno. Tra i bambini stessi aveva visto qualche ributtante esemplare di ornitorinco e di gnomo, armato di uncini sanguinolenti. Ecco il motivo, spiegò, delle sue tribolazioni a 's-Hertogenbosch. Più di trent'anni prima aveva esposto questa sua teoria in un libretto, portando ampie esemplificazioni. Benché non venissero fatti esplicitamente i nomi, risultava evidente, per esempio, l'identificazione dell'allora vice-sindaco con l'atroce profilo di sadico filisteo nel *Portacroce* di Gand, e del preside del liceo musicale col paggio dalla testa suina nel *Sant'Antonio* di Lisbona.

Cominciavo a capire perché l'albergatore, dandomi l'indirizzo di van Teller, sorridesse in modo insinuante. E perché lui stesso mi avesse detto che gli altri lo prendevano per matto. Un povero vecchietto senza più i suoi venerdì, che pretendeva di essere la reincarnazione di un genio.

"Ma a lei", domandai, "non è mai venuta la tentazione di dipingere?" "Aspetti", disse van Teller con aria di complicità: "aspetti. Le farò vedere."

La notte arrivava. Sotto le scure falde del cappello, l'antica faccia fosforesceva e gli occhi di falco erano bianchi e secchissimi. Alzò la destra a fare segno.

Mi accorsi che eravamo giunti alla sua casa. La quale, per i due culmini dei muri laterali e le finestre accese, assomigliava nel buio a un enorme gufo ac-

Hieronymus Bosch
Andata al Calvario, 1515-16,
particolare
Gand,
Musée des Beaux-Arts

114

covacciato. Prima ancora che van Teller avesse suonato il campanello, la sua donna arrivava trafelata: "Così tardi, signore?" diceva, o qualcosa del genere.

Mi fece strada. Entrammo. Era una casa densa di antiche intimità e segreti di famiglia. Rivestimenti di vecchio legno, scale di vecchio legno, statue in legno di vecchi santi tetri e scarsamente convinti. Le luci erano elettriche, ma civilmente disposte e limitate. Margareta chiuse la porta alle nostre spalle con un catenaccio nero che mandò un tonfo cavernoso.

Era per van Teller l'ora di cena? Margareta guardava interrogativamente il padrone, il quale con un piccolo cenno di mano fece capire che non era il caso e quindi zampettò adagio su per la scala. Non si fermò al primo piano dove era presumibile fossero le stanze da letto. Angoli in ombra, nicchie, angusti corridoi e scalette laterali che si perdevano nel buio.

Si uscì nell'androne sommitale ricavato dallo scrimolo del tetto spiovente. Egli accese. Un getto di vivida luce cadde su una grande tavola poggiata a un cavalletto e dipinta per metà. Sotto, su un tavolo, pennelli, colori e tavolozza.

Era, per quello che se ne poteva capire, un quadro incompiuto di Bosch. In alto, a sinistra, lo splendore di un cielo puro e intenso nel quale navigavano due angeli bellissimi, e le loro trombe si divincolavano in ricci trionfali espandentisi in estasiati cartigli pieni di vento. A destra degli angeli, Lui, il Signore, il Dio, l'Onnipotente, il Creatore, assiso sul culmine di un arcobaleno, la testa irraggiante, l'espressione potente e stupita. Nudo. Il braccio destro, ad ansa di anfora, reggeva un lungo stelo di fiori paradisiaci. I piedi, intrecciati, poggiavano sulla sfera del mondo. Ma era dipinto per metà. Il rimanente del corpo era tracciato con un segno filiforme. La forza era però nel paesaggio di sotto. Rupi spoglie e corrose, nelle cui crepe e pieghe si divincolavano orridi coacervi di corpi umani e disumani, in mezzo a sozze scaturigini di vapori gialli. Angeli con grandi ali lottavano per estirpare dall'obbrobrio le anime ancora titubanti, contrastati ferocemente da forme immonde. Ed era chiaro che la loro causa era perduta in partenza. I demoni, con teste maialesche e ferine, con bocche da rospo, con ventri squamosi di aracnide, con mastodontiche teste dalle cui orecchie uscivano le gambe rachitiche, con corpi da lucertola e da scolopendra, erano mucose, erano ventri, erano sessi, erano ludibrio di membra viscide e sconciamente dilatate alle vergogne più turpi. Sul fondo della scabra sassaia, quei corpi tepidi e palpitanti di sozze voglie, per lo più rosei, spiccavano con una violenza ancora più selvaggia che non le meravigliose cortigiane adolescenti nel *Giardino delle delizie* del Prado.

Io rimasi là, di pietra. Era uno dei più crudeli e disperati Bosch che avessi mai visto. Eppure mai, in nessun libro o raccolta, lo avevo riscontrato. "Ma è un Bosch autentico, questo, no? È suo? Dove l'ha trovato? E perché è dipinto solo a metà?". Van Teller mi guardò sorridendo: "No, no, una semplice imitazione…". "Eppure, eppure mi ricorda…" Van Teller sembrò felice: "L'ha riconosciuto? Il *Giudizio universale* che andò distrutto nell'incendio del Prado? Lei ricorda la relativa stampa di Hameel, vero?".

Sì, ora ricordavo perfettamente. Di quel prezioso dipinto, incenerito dalle fiamme, restava una sola testimonianza: una copia in formato ridottissimo, incisa in rame da un contemporaneo. Ma ora qui, dinanzi a me, il capolavoro era per metà risuscitato. "E come è possibile?" feci io.

Allora lui, van Teller, si fece oltremodo circospetto e misterioso, e cominciò – come dirlo altrimenti? – cominciò a vibrare sottilmente, quasi una forza superiore stesse entrando in lui per possederlo. Alzò un dito ammonitore: "Qualche volta", dis-

pagine seguenti:
Hieronymus Bosch
Giardino delle delizie,
1503-1504
Madrid, Prado

se, "mi viene a trovare." "Chi?" "Lui, il grande Hieronymus." "E come?"

Corse a un tavolo pieno di carte e vi sedette. Prese una matita, poggiò la punta della matita su un foglio di carta, la matita si muoveva da sola. "È qui, è qui. Stasera è venuto", annunciò con voce spiritata: "Lei è fortunato, signore".

Dunque il vecchio orologiaio era un medium? E adesso mi proponeva le liturgie del caso?

"Si sieda là, nell'angolo. E non parli, per carità, signore", disse van Teller. Mi sedetti. E lui cominciò ad aggirarsi per la mansarda come un'anima in pena. Mugolava. Si torceva come se qualcuno gli stesse attanagliando le reni. Supplicava: "Non così forte, maestro Hieronymus, non così forte per misericordia di Dio!". Poi si mise a gemere in olandese e non capii più niente.

Nello stesso tempo, e la luce era tale che non poteva esserci trucco, due pennelli, da soli, si levarono lievitando dal tavolo, come due addomesticate bestioline tuffarono il ciuffo nella tavolozza, quindi puntarono verso il quadro e adagio adagio, con minuziosa applicazione, cominciarono a effigiare una sorta di schifosa forma vivente metà salamandra e metà uccello che protendeva il becco verso una ragazza nuda già traforata da uno spiedo. L'invisibile spirito del grande Hieronymus tornava dunque alla sua città per ridipingere il quadro distrutto?

La scena era piuttosto allucinante. Van Teller, per quanto rapito in quella specie di *trance*, poté dirmi: "Guardi, guardi dalla finestra". Guardai dalla finestra. E capii ciò che il vecchio orologiaio aveva prima cercato di spiegarmi. Sì, Hieronymus Bosch non aveva inventato nulla, aveva dipinto tale e quale lo spettacolo offerto quotidianamente ai suoi occhi.

Di lassù non potevo scorgere che la casa di fronte e una fetta di quelle adiacenti. Ma, per l'incantesimo di quella notte, esse apparivano come scoperchiate e nell'interno si distingueva la gente che mangiava, dormiva, litigava, lavorava, faceva l'amore, odiava, invidiava, sperava, desiderava, come tutti noi. Erano uomini e donne e bambini, tali e quali il nostro consueto prossimo quotidiano, ma frammisti a loro, con supremazia di maggioranza, si agitavano brulicando innumerevoli cose viventi simili a celenterati, a ostriche, a ranocchie, a pesci ansiosi, a gechi iracondi, simili ai cosiddetti mostri di Hieronymus Bosch; e che non erano altro che creature umane, la vera essenza dell'umanità che ci circonda. Latravano, vomitavano, addentavano, sbavavano, infilzavano, dilaniavano, succhiavano, sbranavano. Così come noi ci sbraniamo giorno e notte, a vicenda, magari senza saperlo.

Poi di colpo la rivelazione cessò. Non vidi più che la casa di fronte, chiusa e immota, le case adiacenti, pure esse spente e addormentate. Tutto era tornato all'apparenza banale e tranquillizzante della realtà quotidiana, a cui siamo abituati. Mi voltai. Il vecchio orologiaio, ansimante, si era abbandonato su un divano. Sembrava esausto.

Il silenzio della notte, l'immobilità delle cose. Tutto come quando ero entrato: tranne quella schifosa forma metà salamandra e metà uccello dipinta sulla tavola, che quando io ero entrato non c'era.

Sul divano il vecchio era triste: "Non arriverò mai a finirlo, questo quadro. Sono stanco. Sono vecchio. E lui viene sempre più di rado…".

Guardai attentamente il dipinto. Era eseguito con la perfezione dell'antico maestro, si notavano persino le screpolature del colore che soltanto i secoli sanno dare. "Nessuno l'ha visto?", chiesi. "Nessuno." "E dopo?" "Dopo la mia morte, lei intende dire? No, signore, nessuno mai lo vedrà. Io sono un matto, un povero matto. Questo dipinto è il mio segreto. Ho dato disposizioni. Con me scomparirà."

RAFFAELLO
mistero senza mistero

Michele Prisco

"Oggi mia moglie e io siamo andati a palazzo Pitti…" annota nel suo *Diario* Nathaniel Hawthorne: è il 10 giugno del 1858 e da qualche anno lo scrittore, console a Liverpool, percorre l'Europa con la metodicità e, si direbbe, la prevedibilità dell'americano teso a cercare un senso alla sua vita attraverso la verifica e l'incontro di due culture. "La collezione di quadri… è la più interessante che io abbia visto, e non mi sento né forse mi sentirò mai in grado di parlare di uno solo… Ma il quadro più bello del mondo, ne sono convinto, è la *Madonna della seggiola* di Raffaello. La conoscevo attraverso cento incisioni e copie, e perciò mi ha illuminato con una bellezza familiare, sebbene infinitamente più divina di quanto non l'avessi mai vista. Un artista la stava copiando, producendo qualcosa di assai vicino, certo, a un facsimile, e tuttavia senza, naturalmente, quel misterioso non-so-che che rende il quadro un miracolo."

E qualche giorno dopo: "Finché non impariamo ad apprezzare i cherubini e gli angeli che Raffaello sparge nell'aria benedetta, in un quadro della Natività, non è sbagliato guardare una mosca fiamminga che si posa su una pesca, o un'ape che si seppellisce in un fiore". E finalmente, quasi riassumendo il cumulo delle proprie impressioni, al termine delle varie visite ai musei fiorentini: "È molto curioso leggere le critiche di un quadro, e dello stesso viso di uno stesso quadro, scritte da uomini di gusto e sentimento, e scoprire a quali diverse conclusioni esse giungano. Ognuno l'interpreta a modo suo; e il pittore, forse, pensava a un significato che nessuno di loro ha colto; o forse ha presentato un indovinello senza conoscerne nemmeno lui la soluzione. C'è tan-

pagina 122:
Raffaello
La Scuola di Atene, 1509-11, particolare
Roma, Palazzi Vaticani, Stanza della Segnatura

pagina a fianco:
Raffaello
Madonna del Granduca, 1506
Firenze, Palazzo Pitti

Raffaello
Madonna della seggiola, 1513
Firenze, Palazzo Pitti

ta necessità, in ogni modo, di aiutare il pittore con le risorse di sentimento e fantasia dello spettatore, che non possiamo essere mai sicuri di quanta parte del quadro abbiamo fatto noi stessi. Non c'è dubbio che, entro certi limiti, il pubblico è nel giusto, e su terreno solido, quando afferma, per una serie di secoli, che un certo quadro è una grande opera. È così; un grande simbolo, nato da una grande mente; ma se significa una cosa, sembra significarne mille, e spesso opposte".

Vien voglia di chiedersi: queste riflessioni metodologiche si possono applicare anche nel caso di Raffaello? In altri termini: il "misterioso non-so-che" di cui parla Hawthorne può costituire la chiave giusta per accostarci al pittore marchigiano con un'ammirazione meno superficiale o, in ogni caso, con un bagaglio critico appena un poco più agguerrito? E soprattutto, può servire a svincolarlo dall'alone storico cui Raffaello sembra perfettamente consegnato, e restituirlo in una nozione e dimensione più moderne e nostre? Perché dei grandi pittori rinascimentali Raffaello è l'unico, confessiamolo, che quanto più ci appare prodigo nel dispensare un raro godimento visivo, tanto più certe volte sembra avaro nel comunicare un'emozione più profonda, chiuso in un suo prezioso limbo (olimpo) dove riesce difficile raggiungerlo: e quanto più si mostra all'apparenza 'facile' tanto più risulta sfuggente, dietro l'ampio respiro delle sue equilibratissime composizioni.

Ma forse proprio questo è il mistero di Raffaello: d'essere, come pittore, senza mistero: così chiaro, sereno, concluso, e, possiamo pur dirlo, perfetto, da rasentare quasi il distacco, e apparire inafferrabile, se non proprio lontano.

I personaggi della Sistina, mettiamo, si possono 'leggere', e ci si offrono anche troppo scopertamente nella loro plastica e tormentata drammaticità: e ad avvicinarci le remote creature leonardesche – donne e madonne – c'è quel margine d'ambiguità, quell'alone di mistero intellettuale, che non si sa più quanto ormai appartiene al pittore o alla nostra suggestione, ma che comunque si presta a stabilire subito un colloquio; così come, per le opulente matrone di Tiziano, a creare un rapporto più immediato con noi moderni provvede senza dubbio la carica di femminilità che sembra addirittura anticipare una delle tematiche ricorrenti nel mondo d'oggi. E a volgersi appena più indietro eccoci pronti a scorgere nell'umiltà anche coloristica degli affreschi dell'Angelico la trascrizione più alta e poetica del sentimento religioso di un artista, nella stessa misura in cui l'architettura di Masaccio o il vigore volumetrico di Piero o l'eleganza botticelliana vivono d'un costante ricambio

con la personalità dei loro autori da suggerirci più facilmente la chiave per una adeguata interpretazione.

Ma Raffaello? Il "divino" Raffaello! Che persino la breve avventura terrestre, così intensa e bruciante, sembra allontanare (e confinare) in una dimensione di leggenda. "Il venerdì santo di notte" scriverà Marcantonio Michiel ad Antonio Marsilio "venendo il sabbato a hore 3 morse il gentilissimo et excellentissimo pittore Raphaelo de Urbino con universal dolore di tutti et maximamente delli docti... Et perché il palazzo del Pontefice questi giorni ha minazato talmente che Sua Santità se ne è ito a stare nelle stanze di monsignor de Cibo, sono di quelli che dicono che non il peso delli portici sopra posti è stato di questo cagione, ma per fare prodigio che il suo ornatore havea a mancare". E il giuoco delle coincidenze sembra preordinare e favorire circostanze fedeli più che all'uomo al mito, se di lì a poco si scoprirà che il pittore era nato e morto nello stesso giorno, il venerdì santo, appunto, e se il Vasari arriverà a far combaciare persino l'ora dei due avvenimenti, le tre di notte. E ancora: Raffaello lavorava alla *Trasfigurazione* quando s'ammalò, e la tavola incompiuta fu collocata a capo del letto funebre, "ala quale opera – è sempre Vasari a scriverne – nel vedere il corpo morto e quella viva, faceva scoppiare l'anima di dolore".

Sì, questo è il punto: lo storico dell'arte, o il critico militante, o semplicemente l'erudito, davanti alla scenografia delle Stanze, o alla *Madonna del cardellino*, o di fronte a uno dei suoi ritratti, da quello d'*Agnolo Doni*, alla *Muta* o alla *Velata*, potrà agevolmente avviare il discorso e trovare nel pittore riassunti, e portati al loro grado estremo di chiarezza intellettuale e maturità espressiva, gli ideali tipici del Rinascimento italiano; ma l'uomo d'oggi, l'uomo della strada condizionato e come confezionato dai mass-

Raffaello
Trasfigurazione, 1518
Roma, Pinacoteca Vaticana

Raffaello
Ritratto di donna
(La Velata), 1516
Firenze, Palazzo Pitti

media, davanti a una soltanto di queste opere, in che
maniera motiverà quel suo giudizio – bello! – oltre
la genericità di un'impressione che sembra spoglia
del più elementare supporto critico e persino detta-
ta da un impaccio che sottace il distacco?

Il fatto è questo, che Raffaello è stato talmente
l'interprete di un ideale di bellezza classica, canoni-
ca, passata poi nel gusto d'interi secoli di civiltà e
connaturatasi quindi con il nostro ideale di bellezza,
che non si distingue quasi più, con lui, tra il bello di
natura e il bello artistico. Ed è in questa assenza di
diaframma il suo mistero, ma, anche, la sua gran-

Raffaello
*Ritratto di donna
(La Fornarina),* 1518-19
Roma, Galleria Borghese

dezza d'artista. Perché a quell'ideale il pittore è giunto non tanto o non solo per aver assunto a canone pittorico una preordinata regola stilistica affinandola sino alla sua massima elaborazione, ma attraverso una più intima fede e interpretazione dell'uomo felicemente traducendo in raffinatezza d'immagini un'architettura di pensiero.

Non dimentichiamo infatti che Raffaello, nato a Urbino, anche quando ebbe lasciato la sua città per Firenze e poi per Roma, anche quando ebbe assorbito le esperienze artistiche di vari contemporanei e predecessori, di Urbino porterà nel sangue, con il ricordo della sua luce favolosa, un'altra eredità ugualmente profonda: quella della dotta e raffinata corte di Guidobaldo di Montefeltro, cenacolo del neoplatonismo di Marsilio Ficino. Di questa società, che Baldassarre Castiglione doveva ritrarre nel *Cortegiano* quasi poeticamente cogliendola attraverso le sue dispute accademiche per il culto della forma e codificandone l'aspirazione a una più squisita e armoniosa spiritualità, Raffaello respirò l'aria fino a nutrirsene: e quel "decoro" che divenne poi l'ideale del Rinascimento, quell'amore per la cultura "presa in se stessa e deificata", com'ebbe a scrivere De Sanctis, finisce per diventare in lui natura, una qualità dell'animo prima che una poetica d'artista.

Proprio per questa sua intima persuasione egli travalica il pur splendido involucro di una pura e semplice – per quanto altissima – perfezione stilistica e tocca quel "misterioso non-so-che" cui accenna Hawthorne, collocandosi nella grande pittura rinascimentale italiana, e non solo italiana, come il pittore che meglio esprime le idealità della propria epoca e meglio risolve il problema dell'equilibrio tra forma e contenuto, o se preferite, tra intelligenza e immagine.

Proprio per questo, ha un bel prestare alla *Madonna Sistina* o alla stessa *Madonna della seggiola* il corpo e le sembianze tutt'altro che celestiali della Fornarina ("fu Raffaello persona molto amorosa e affezionata alle donne e di continuo presto ai servigi loro"), sempre una dolcezza infinita e come ultraterrena si sprigiona da quelle figure muliebri, sempre una vaporosa delicatezza di sguardi e di gesti le avviluppa (e le distingue), e la bellezza fisica diventa un'ideale virtù implicita alla natura divina della Vergine. Addirittura si sarebbe tentati, davanti a questi quadri, di riaprire il manuale del Castiglione e mutare in didascalie certi precetti: "Deve allora il Cortegiano… considerar che 'l corpo ove quella bellez-

132

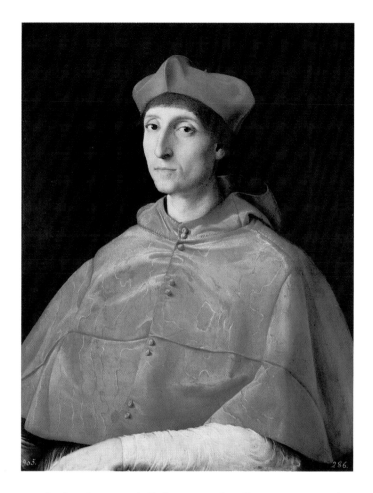

Raffaello
*Ritratto del Cardinale
Bibbiena,* 1511-12
Madrid, Prado

za risplende, non è il fonte onde ella nasce… e che così come udir non si può col palato né odorar con le orecchie, non si può ancor in modo alcuno fruir la bellezza, né satisfar al desiderio ch'ella eccita negli animi nostri, col tatto, ma con quel senso del quale essa bellezza è vero objeto; che è la virtù visiva".

La "virtù visiva" è il segno più inconfondibile delle numerose Madonne di Raffaello (potremmo contarne più di trenta), anche di quelle ritratte nell'incorniciatura dei troni e dei baldacchini fra intervalli scanditi di figure, architettura e cieli. Questo è il Raffaello più universalmente noto, così come il

Raffaello
La Scuola di Atene, 1509-11,
Roma, Palazzi Vaticani,
Stanza della Segnatura

Raffaello
La Messa di Bolsena, 1512,
Roma, Palazzi Vaticani,
Stanza di Eliodoro

Raffello delle Stanze è l'altissimo celebratore dello spirito e della cultura umanistica attraverso i grandi temi del pensiero e della fede religiosa colti, e risolti, in un giuoco di complessa e prodigiosa euritmia ch'è ormai il segno della maturità del genio pervenuta al suo culmine; ma c'è, mi sembra, un altro e non meno grande Raffaello, ch'è quello dei ritratti.

Qui, nei ritratti, il "divino" Sanzio è finalmente umano o, se preferite i giochi di parole, è divinamente umano; qui finalmente avvertiamo, con un brivido che ci esalta e sorprende, la presenza di una presa intellettuale e critica, e insieme il morso di una tensione inquieta, che ci rendono il colloquio col pittore non soltanto accessibile, ma riconducibile a una dimensione emotiva e dialettica estremamente moderna.

Ed ecco l'*Uomo* Borghese, già creduto di Holbein per la forte indagine plastica che lo accosta a un particolare tipo di ritrattistica nordica, o per lo meno la fa ricordare; ecco l'intangibile ombra virile, diffusa con un senso di contenuto e limpido vigore sul bel volto di *Agnolo Doni*, con quel dettaglio veristico (insolito in Raffaello) delle grinze alle palpebre che rende più scattante e fondo lo sguardo del gentiluomo fiorentino. Ecco l'altera e torpida quiete della *Gravida*, con quella mirabile mano alla sommità del ventre abbandonata in un gesto di possesso e di difesa e orgoglio insieme; ed ecco, per contrasto, le vibratili mani della misteriosa, irraggiungibile *Dama* di Urbino, così femminilmente arcana e carica di un'elusività che, seppure più composta e grave, ricorda quella della *Gioconda* e forse accampa una più astratta profondità di assonanze fra disegno, colore e forma (è nota anche come la *Muta*, un titolo che mi sembra allenti la suggestione del dipinto, ché la donna è ben altrimenti parlante e, se mai, tace per volontà, non per menomazione). Ecco ancora, di fronte alla greve pigrizia dell'*Inghirami*, rappresentato con un segno che sta a mezzo fra l'accentuazione drammatica e la caricatura impietosa più che ironica – un altro tratto insolito in Raffaello – levarsi la sublime spiritualità e ambiguità del *Cardinale* al Prado, ottenuta con un impianto semplicissimo, o l'abbandono del *Giulio II* sulla seggiola papale, con quel presagio della morte fisica – del corrompimento della carne – che allo sguardo del vecchio papa conferisce una fissità più dolorosa che rassegnata. Per non dire poi della *Velata*, dove la vistosa prosperità della figura è come risucchiata dal turbine di masse luminose e di sottilissime variazioni di tonalità, fra il bianco, l'oro e il grigio, ch'è la sontuosa manica dell'abito: una manica a sboffi e pieghe e crespe d'uno spessore carnoso che come in un'allucinante terza di-

pagine seguenti:
Raffaello
*La liberazione di san Pietro
dal Carcere,* 1513
Roma, Palazzi Vaticani,
Stanza di Eliodoro

Raffaello
*Ritratto di Leone X
con due cardinali,* 1518-19
Firenze, Uffizi

mensione per una sorta di *transfert* ci fa immaginare, e toccare, la carnalità del personaggio.

In questi esiti Raffaello veramente annulla il
tempo, o lo anticipa, o lo supera, o piuttosto lo ignora: e il miracolo della sua pittura è questo, che si fa
contemporanea con noialtri contemporanei, e ci rivela come in uno specchio o in una radiografia quella componente dell'animo umano – l'inquietudine –
che mai come oggi è diventata così scoperta, e drammatica, e indifesa. È come se nei ritratti – e nei ritratti
di certi personaggi presenti anche nelle vaste composizioni corali (si pensi solamente all'*Angelico* nel-

la *Disputa del Sacramento* oppure alla *testa di sedia-rio con turbante* della *Messa di Bolsena*) – Raffaello avesse voluto rilevare, attraverso un più diretto contatto con la 'realtà', quell'insufficienza dell'uomo che, in termini di idealizzazione dell'umano di altri quadri, sembrava ormai trascesa. E così proprio lui, che in fondo incarna il sogno estetico del Rinascimento ("il pittore – scrisse – ha l'obbligo di fare le cose non come le fa la natura, ma come ella le dovrebbe fare"), può parlare ancora, e parla come pochi, all'uomo di oggi.

Dei suoi cieli – di quei cieli vasti e corposi che ricordano la luce di Urbino, e avvolgono con uno splendore nitidissimo strade case e paesaggio e si fanno materia, così che le stesse nuvole ne ricevono peso e volume – Berenson disse una volta che avrebbe voluto definirli "una guaina dell'anima". È una definizione che potremmo estendere a tutta la pittura di Raffaello: più di qualsiasi discorso critico, essa ci aiuta a penetrare l'universalità del pittore di Urbino.

CORREGGIO
grazia laica:
dono dell'uomo a Dio

Alberto Bevilacqua

Di Antonio Allegri detto il Correggio si può affermare innanzitutto che la sua pittura di "visione", a differenza di quella religiosa del Tintoretto o di quella laica del Veronese, antepone la sensibilità al pensiero, la felicità biologica alla felicità dell'interpretazione e della conoscenza; ora, questa idea apparentemente elementare cessa di esserlo allorché ci rendiamo conto che la fortissima linfa biologica, anziché fare dell'artista un portatore di tendenze interne, astratte dal suo ambiente, acquista senza quasi bisogno di mediazioni intellettuali il valore di tendenza storica: tale da porre l'artista in rapporto critico con il suo ambiente. Inseguendo fantasie legate al corso della propria vita emotiva, cioè, il Correggio riesce a renderle con figure e "visioni" che, in virtù di una pura e miracolosa forza interna (quasi una predestinazione), lasciano decifrare in sé una massiccia concezione dei più urgenti problemi dell'uomo, dalla religione alla povertà. Dall'irrazionalità, dunque, del suo bisogno creativo, l'artista passa con un procedimento sensibile alla razionalità, divenendone cosciente nell'atto stesso in cui la vede delinearsi nell'opera compiuta. Si spiega così, tra l'altro, l'implicita corrosione che nelle figurazioni correggesche si produce verso ciò che la Chiesa imperante e la teologia imponevano fosse dipinto, benché il Correggio continuamente affondasse in mezzo alle tonache, fra benedettini e benedettine, e attingesse alle commendatizie dei suoi protettori canonici con la lesta e meccanica devozione con cui si infilano le dita della mano nelle acquasantiere. Ciò è stato superficialmente interpretato, fino a oggi, nei limiti di un'allegoria risolta in un ricco repertorio d'immagini, o

pagina 142:
Correggio
La visione di san Giovanni,
1521
Parma, San Giovanni
Evangelista, cupola

pagina a fianco:
Correggio
Madonna della Scala, 1523
Parma, Galleria Nazionale

astratta o ermetica; e si è parlato di architettura vegetale di spunto mantegnesco e leonardesco, di gioia degli occhi e dell'intelletto, di ornamento della società eletta. Il che è esattissimo.

Ma per capire il Correggio senza fraintenderne la vera rivolta, è necessario percorrere più a fondo quel "labirinto" che forma il limbo della sua arte, precisando alcuni punti: il Correggio antepone il "mistero" della vita al "problema"; mentre il problema va risolto, e quando è risolto scompare, sia pure in geniale bellezza, (la pittura risolutiva di Michelangelo), il mistero va sperimentato, rispettato, e anche la pittura lo propone logicamente senza risolverlo, perché è in sé irrisolvibile. Il mistero indica all'uomo una serie di figure e di simboli che sono in grado di ricondurlo a idee, archetipi, condizioni primigenie, dicendo all'uomo stesso: scegli la tua parte di verità. E nel Correggio, per esempio, noi possiamo scegliere la "grazia"; ma, attenzione: essa apparentemente è quella della teologia, cioè il dono soprannaturale e gratuito di Dio all'uomo per condurlo all'eterna salvezza; però, a ben guardare, attraverso il pennello del pittore si trasforma nel contrario, cioè in una grazia laica che investe gli organi sensoriali più che lo spirito, e diventa diremmo "il dono dell'uomo, naturale e pagato col sangue, a Dio". Intendendo un sangue appassionato e non luttuoso.

Oltre a ciò, nel Correggio non c'è figura, terrena o divina, che lo spettatore non senta di poter possedere, concretamente, attraverso un'affinità irresistibile e immediata, più forte del possesso sensoriale. E basta, a questo fine, un sorriso inequivocabilmente elaborato attraverso un dolore umano di generazioni, deposto con il suo valore di sutura felice di mille piaghe sulle labbra di una figura celeste; oppure uno sguardo reso vigorosamente schietto da un qualcosa che si intuisce essere stato un amore di carne, e inserito così nel volto trionfante di un Cristo. E basta ancora meno: una gota illuminata di quel tanto che spinge la mano dell'uomo ad accarezzarla, o un seno che è così forte e fiero di sé sotto il drappeggio, perché gli si attribuisce quasi la consapevolezza di quella nudità segreta e amorosa di cui abitualmente gode.

Chiediamoci ancora: fino a che punto si spinse l'autonomia morale del Correggio nei confronti di un Dio che gli servì, nelle opere, come alibi, come pretesto di forza spirituale da immettere in un gioco eminentemente pagano? Fino a che punto si può parlare di un sia pur paradossale ateismo? E, saltando ad altro, fino a che punto un'atavica vergogna della povertà, il pudore e la coscienza di questa povertà, hanno influito sul suo concetto del "bello" così concreto, così aperto al possesso; sulla sua fantasia dolorosa, tormentata che cerca di farsi passare per ciò che non è, dal momento che la "visione" correggesca acquista alto valore poetico e umano per quella tensione, evidente, di "purificarsi" dalla nostalgia, dal dolore, dall'inquietudine, dal furore? Gli interrogativi non sono estranei tra di loro, perché ne risulta come la libertà spirituale del Correggio, che ci piace ricordare mentre corre a comprar terre nella "sua" terra, abbia ben ramificate radici.

Ci soffermeremo tra poco su queste radici, con la grande influenza esercitata dall'ambiente sull'artista, anticipando fin d'ora che tra il dipingere del maestro e il suo predisporre in sé la pittura doveva correre, in un certo qual senso, lo stesso rapporto psicologico che correva tra il suo servirsi del linguaggio popolaresco, entro i perimetri domestici, e l'uso della lingua di convenzione e di convenienza al cospetto dei canonici: ricco di sensuali furbizie e di succhi, impietoso e blasfemo il primo, e aperta la seconda al raffinato gusto artistico, al senso fortissimo

pagine seguenti:
Correggio
particolare della volta
della Camera della Badessa,
1519
Parma, Monastero
benedettino di San Paolo

147

della dignità dell'uomo, al vagheggiamento idillico che troveranno splendore e corrosione in un secolo, il Cinquecento, che raccoglie in plenitudine i frutti della vigilia umanistica. Tutte queste premesse, in varia misura, si riscontrano nella famosa Camera delle Benedettine nel Monastero di San Paolo a Parma, finita di decorare nel 1519; e non soltanto nella concezione ed esecuzione della "stufetta" pagana, ma anche nella storia delle iniziative (controverse) che la consentirono. La regola delle benedettine avanzata dalla Congregazione di Santa Giustina di Padova nel 1419, aveva acquistato maggior rigore nella riforma "cassinese" nel 1504. In poche parole, negli anni in cui il Correggio la concepì e la condusse a termine, la paganeggiante stufetta risultava non solo messa in sospetto, ma proibita dalla regola dell'ordine. Da chi, dunque, vennero gli incentivi e gli avalli all'impresa del Correggio, orientata da un'arte romana che oscilla tra Raffaello e il Michelangelo della Sistina?

Qualunque possa essere la risposta a questa domanda, le cose non cambiano. Resta la natura sottilmente beffarda, naturalmente critica dell'artista verso le istituzioni, quella stessa che, legata all'istinto e all'estro, si decifra nella luce tragica e dolcissima insieme che il linguaggio ordinato e fantastico non riuscirà mai a spegnere in nessuna delle tele. Gli occhi del Correggio sono troppo abituati a fissare la realtà, e a servir da mezzo per cavarne il buon senso; perciò non credono negli assoluti del paradiso o dell'inferno, bensì nel calvario intermedio – tra bellezza e pena – del purgatorio. Siamo di fronte alla concezione dell'esistenza suffragata dall'equilibrio di un uomo che, pur dando per scontato che vengono da Dio, tocca le cose con il piacere di sentirne padrona la pelle delle mani. Ecco dunque che il discorso "dietro" la tela dipinta si fa complesso. Come non riconoscere a questa coscienza intuitiva, acuta fino allo spasi-

mo, un potere chiaroveggente sui futuri destini dell'uomo: non più eccelso (contro la corrente del tempo, categorica nel sostenere il senso fortissimo della dignità e della potenza creatrice umana), non più dannato nei tanti inferni, ma visto con la sua responsabilità di umanizzarsi tra le cose? Liberarsi dai pregiudizi, esorcizzare i fantasmi, ecco ciò che il Correggio dipinge tra le righe. E anche le manifestazioni del mondo vegetale e animale riconoscono all'uomo la priorità sui fenomeni della natura, ma non ne legittimano il distacco, quello stesso distacco che era comandato nelle regole religiose. A suo modo francescano (ama il Cantico, ma non le privazioni), il Correggio considera superflua qualunque lotta sia dentro la carne che verso i cieli: per lui l'uomo è ancora, e sarà sempre, occupato verso se stesso, a imitare il primo atto della creazione divina, cioè a dar fiato alla propria creta, affinché il soffio perduri e la creta continui ad animarsi del calore della vita.

Ce lo conferma anche la biografia, sia con gli avvenimenti di una poco nota gioventù, sia con le aspirazioni in parte deluse della maturità. Garzone del Mantegna, dai dieci ai diciassette anni, il Correggio cresce assecondato in quelle tendenze istintive (nel senso della libertà, molto più che immaginativa, rispetto al contemporaneo e all'antico) che il sentimentalismo religioso di un Costa o di un Francia, benché predominanti nell'ambiente emiliano, non riusciranno poi ad assopire. Ciò concorre al formarsi di quella genialità critica, sia pure a livello di temperamento più che di cultura, implicito più che esplicito, psichico più che razionale, sulla quale abbiamo richiamato l'attenzione, non condividendo l'opinione che vorrebbe limitare l'artista in un disinteresse dei problemi che formano l'ordine conoscitivo e morale. Stiamo scrivendo, insomma, a favore di una "coscienza" del Correggio, le cui controversie e i cui

slanci sono stati del tutto oscurati in bellezza dalla celeste capacità di creare per gli occhi; quasi che il pittore fosse storicamente predestinato a dissolvere in sé l'uomo e il suo ambiente.

Dibattuta fra tenerezza (quella delle "cante" popolari, epico-liriche) e violenza, tra *gaudium vitae* e una drammatica avversione al sopruso dei potenti e delle istituzioni, Parma conquista dapprima la solitudine del Correggio, e poi la sua vocazione alla famiglia, agli affetti domestici: solo nel 1523, infatti, cioè al termine dei lavori nella cupola di San Giovanni, il maestro trasferisce i familiari nella zona prossima all'abbazia benedettina. Ciò nonostante, pur amichevole e ricca di identità psicologiche, la città rimane sempre una seconda patria, per non dire la terra del piccolo esilio, la piccola capitale di transito in attesa della grande capitale dello spirito (Roma), e ciò è dimostrato dai viaggi "d'affari" che il Correggio compie tornando nelle zone d'origine con le tasche piene di soldi freschi di guadagno. Il Correggio investe in terreni. Sia per sentirsi concretamente legato alle proprie radici, da cui l'arte lo allontana, sia per sentirsi padrone. Egli crede

Correggio
Adorazione dei magi, 1518
Milano, Pinacoteca di Brera

nel "tanti, quantum habeas, sis", cioè nel detto ora-
ziano secondo il quale l'essere sta nell'avere, applican-
dolo sui due fronti del rito pittorico e del rito agrario,
con la duplice ambizione di essere celebrato e ricco.
Da buon padano, egli sa che il miglior sistema per di-
fendersi dalle insidie immancabili nelle lusinghe dei
potenti, siano questi ecclesiastici o laici (ma gli alti pre-
lati lo deluderanno assai più spesso), è di coprirsi le
spalle con un po' di buona terra, quella che non lascia
morire di fame, in ogni caso. Egli impara così a distinguere il giusto verde di una pianta entrata in fe-
condità, non soltanto con l'occhio del pittore, ma anche con quello del contadino; così come assapora, *in
loco*, quella salubre e agreste religiosità che acquista
ancor più spessore sulla tela, quando la carne viene
chiamata dalla luce, come il volo dell'insetto dalla can-
dida polpa della lampada. Diversi sono i viaggi me-
morabili che registrano il ritorno dell'Allegri a Correggio, con la borsa pronta *ad divitias*: nel 1530 e nel
1533, per non parlare degli atti notarili del 1513 dai
quali possiamo figurarci l'artista pignolo sulle clauso-
le e agguerrito sul soldo. Ha dunque ragione chi so-
stiene che, nella bottega del Mantegna, si apprendeva
non soltanto la magia del colore, ma anche a essere tac-
cagni ed eroici più per se stessi (a suo modo, il Correggio lo fu nella strategia delle sue ambizioni) che per
gli altri. Con la stessa abilità con cui predisponeva i
suoi contratti d'acquisto, infatti, il pittore si procura-
va i salvacondotti per togliersi da guerre e guerriccio-
le che infestavano l'aria. Riuscì persino a procurarsi un
certificato che lo trasformava in oblato benedettino:
definitivamente immune da ogni preoccupazione di
ordine guerresco, trionfasse o meno il commissario go-
vernativo apostolico. Questo l'uomo, con la saggezza
della formica e le furbizie di chi non s'impiccia. Il resto, cioè il partecipare ai tempi, in quel perimetro che
non coincide con gli interessi personali, era un'argu-

Correggio
La notte, 1529-30
Dresda, Gemäldegalerie

155

Correggio
Ganimede, 1531
Vienna,
Kunsthistorisches Museum

Correggio
Io, 1531
Vienna,
Kunsthistorisches Museum

zia anche un po' pazza coltivata ai limiti dell'egoismo; era lo spirito beffardo che cova sotto la scorza della prudenza contadina.

Parma e Correggio, dunque, uno scambio di salute popolare, implicante passione, di sapore di vita vissuta nelle strade, non nelle *scuole*. L'andarsene da Parma rientrava esclusivamente nell'ambizione artistica, e ne era lo scotto; il Correggio sapeva benissimo che se il suo ingegno fosse "stato a Roma, avrebbe fatto miracoli, e dato delle fatiche a molti che nel suo tempo furon tenuti grandi" (parole del Vasari), perciò egli attendeva il suo momento, e cercava di favorirlo, con una costanza che a ben guardare era fiducia di sé; e addirittura pacifica superbia, quella che non gli aveva mai fatto difetto, nemmeno nei primi momenti, in virtù di quell'eccezionale salute artistica di cui s'è detto. A Roma, il Correggio era già stato nell'anno 1518, e le pagine del Longhi su questo viaggio, compiuto nella maturità della giovinezza, cioè a ventinove anni, riescono medianicamente a distinguere, nella sete di conoscenza dell'artista, l'avidità di ciò che è affine e il rifiuto del resto: non esistono compromessi o incertezze, tanto meno il dubbio dell'arte; esiste soltanto ciò che di "correggesco" il genio umano ha dipinto. E non è un paradosso, ma una riprova, anzi la prova del nove di come l'artista riuscisse a vedere la storia, e gli uomini, soltanto con il terzo occhio della sua pittura. Il Correggio visita le Stanze e la Sistina, e il Longhi – creando un itinerario del probabile, e cogliendone la magia – ipotizza anche una visita all'abside del bramantesco forlivese Melozzo, ai Santi Apostoli, e un'altra ancora alla cupoletta perduta che il Mantegna aveva affrescato in Vaticano, nel 1490, entro la cappella di Innocenzo VIII.

L'avventura romana si completa con queste due annotazioni, sempre longhiane: "Non è arbitrio critico chiamare padroni diretti della Camera di San Paolo, le finte statue e i finti bassorilievi, quasi di cera fu-

Correggio
Venere, Amore e un satiro,
1528
Parigi, Louvre

158

mante, nell'aula bramantesca della *Scuola d'Atene* e le scene antiche nell'alto zoccolo decorativo sottostante al *Parnaso*"; e più oltre, in un inciso: "'Correggio c'est ma femme!', avrebbe potuto esclamare Michelangelo come Picasso di un suo strenuo fiancheggiatore". In poche, parole, Roma resta nel sangue dell'artista, che si sente predestinato alle sue glorie (e non a sproposito, in quanto le sfiorerà). Nell'autunno del 1522 i fabbricieri stipulano un contratto con Antonio Allegri per affrescare la cupola, il coro e l'abside maggiore; ma dietro la contrattazione c'è quel cardinal Farnese, grande estimatore dell'artista, che stando ai calcoli avrebbe dovuto consentire la celebrazione mondana dell'ex allievo del Mantegna. I calcoli erano semplici. Il cardinale, prima o poi, sarebbe stato eletto papa, e si sarebbe ricordato dei suoi protetti in arte; il che puntualmente avvenne, ma con un ritardo di duecentoventiquattro giorni. Il Correggio muore il 3 marzo del 1534, e duecentoventiquattro giorni più tardi Alessandro Farnese sale al soglio pontificio, con il nome di Paolo III. Un soffio, un'amara beffa della storia. Tanto più che il 'posto' che *in pectore* avrebbe dovuto essere del Correggio lo occupa Michelangelo, eletto pittore, scultore e architetto del Palazzo Vaticano; resta a noi la consolazione di veder smentita, in questo caso, la frase di Picasso applicata da Longhi. "Mors tua, vita mea", ed è una conclusione non difforme dallo spirito con cui l'artista "dall'indole tenerissima, dalla grazia retrattile e concava", ma anche "dal fascino demonico, dalla smaliziata ilarità" (tutti giudizi dati da storici e critici), prendeva le cose della vita, soprattutto a Parma.

Ed era fatale che, a Parma, Antonio Allegri lasciasse la Cupola del Duomo, che abbiamo sempre considerato il suo testamento per emozioni, cioè il cantico alzato sul misterioso confine dove l'uomo è ancora protagonista della propria carne e già prota-

Correggio
Madonna in adorazione del Bambino, 1524-26
Firenze, Uffizi

gonista del proprio sogno: si produca quest'ultimo in gloria celeste o piuttosto in un delirio biologico dei sensi. Al Correggio che dipingeva la guancia della Vergine, appoggiata al corpo di Cristo con un dolore che non può altro che aspirare all'ultraterreno del paradiso, poiché rappresenta un'estrema conclusione terrena, si sostituisce l'altro Correggio, che sa portare la Maddalena a sfiorare il Bambino, con una dolente adorazione che aspira, invece, più alla terra che al cielo, in quanto il dolore non è umanamente fine o condanna definitiva, ma il primo segno del recupero della coscienza: apertura ad altri sentimenti che verranno, ad altre umane speranze. Il Correggio abbandonerà l'opera nel novembre del 1530, ma dalla statica corona degli Apostoli all'espansione efebica alla corona suprema degli angeli, lo spazio geniale è ben sufficiente a rispecchiare la sintesi sia della singola vita dell'artista, con il suo mistero biologico e le sue seduzioni orfiche intercomunicanti, sia della vita di un intero secolo, con l'aspirazione del secolo precedente a un sereno equilibrio di concetti e di forme, di spirito e di materia, che giunge ai presupposti di una civiltà nuova, del tutto umana e mondana.

In *Pictures from Italy*, del 1846, Charles Dickens si lagna dello spettacolo penoso fornito dai capolavori correggeschi della Cattedrale, rileva l'odore degli affreschi imputriditi sulla cupola, e conclude: "I conoscitori ne sono entusiasti anche oggi: per me però un labirinto di membra dipinte in scorcio, intricate fra di loro, involute e mescolate confusamente, è ciò che nessun chirurgo impazzito potrebbe immaginare nel parossismo del delirio". Un'affermazione che, con la sua superficialità, ci è tornata in mente parecchie volte nella nostra adolescenza, mentre constatavamo il contrario, dirigendoci verso il coro e guardando esplodere le figure degli archi con la potenza – ordinata nella luce vera e non più

Correggio
Madonna di san Girolamo,
1527-28
Parma, Galleria Nazionale

163

Correggio
Assunzione della Vergine,
1526-30
Parma, cupola del Duomo

supposta – con cui un cieco miracolato afferra, cadendogli la tenebra dagli occhi, il primo spettacolo della vita. Lo scorcio è questo, e questo il fluido del chiaroscuro: dell'occhio umano che non contempla (e non deve contemplare) ma, in un istante di esplosione dei confini terreni in un'immensità ed eternità celesti, 'perfora', sotto una spinta sovrumana che non gli sarà mai più concessa, i terreni proibiti (che pure gli spetterebbero di diritto, appartenendo a Dio). Ecco, dunque. È l'uomo in causa, con la sua ottica medianica, e il fenomeno si produce dalla terra, non dal cielo, da chi aspira, non da chi trionfa. Il che apre, di fronte al Correggio, il sospetto che il suo istinto, capace di attraversare in pura sensibilità i secoli nei due sensi del passato e del futuro, abbia preavvertito la grande avventura dell'inconscio: ossia, e ci si perdoni il gioco di parole, il contrappunto umanamente divinatorio al divino.

C'è infine un'annotazione, dell'*abbé* Barthélemy, in *Voyage en Italie* (1755-1757), che ci piace inserire in conclusione: "…quello della Maddalena è il modello più perfetto. Non so dove i pittori abbiano desunto che questa santa fu così bella. In un tempo in cui si confondeva con la peccatrice, si sarebbe creduto che tutte le donne di vita cattiva fossero belle? No certamente; ma i pittori sono stati ben felici di trovare per i soggetti sacri una donna che riunisce in sé le perfezioni della bellezza". L'ingenuo interrogarsi intorno alla celebre figura bionda investe bene, anche se inconsapevolmente, le corde segrete della femminilità che l'Allegri ha saputo evocare, non già dalle femminee intuizioni, ma dal contrario: diremmo dalla virilità deambulante, e pronta ad accendersi al colpo d'occhio, di chi, in ore di pigra luce, si perde per le strade (o per i borghi di Parma!) aspettando di vederle passare di fianco, verso misteriose destinazioni, o camminare davanti, le ragazze e le

166

donne: reali finché dura il suono dei loro passi, il loro movimento registrato in luce di pelle e in segretezze di abito, e tormentose quando non ci sono più e i sensi tolgono alla retina il materiale visivo del giorno, divorandolo a poco a poco, e lasciando alla fine il vuoto di ciò che non si è avuto.

A parte ciò, la donna correggesca coincide con alcune condizioni che ce la rendono modernissima: con la libertà innanzitutto, per cui non è succube di nulla, nemmeno del pregiudizio religioso; con quel socievole conforto che ne fa una compagna spiritualmente generatrice e non un oggetto di possesso o di disputa morale; con una plenitudine di sangue, quasi da stagione solare o da imminente regola naturale, che la fa irresistibilmente madre, ma dopo essere stata amante e compagna: tutta predisposta al concepimento in peccato. Nella donna, il Correggio conclude la sua profezia sulle "magnifiche sorti e progressive" della storia, dove spiritualità e natura si fondono, non nel rispetto dei modelli culturali resi classici o da rendere tali, ma nella riaffermazione dell'integrità umana sezionata dalle dottrine e dalle approssimazioni intellettualistiche, nel ripristino di una confidenza col mondo resa nevrotica dalle false tensioni. È così che l'umanità, raggiungendo uno stato di purezza, raccoglie in sé tutte le sue energie, tutti i poteri di cui sa disporre – dalla saldezza fisiologica alla bellezza all'infinitesima percezione oculare – per protendersi, al massimo di sé, verso i nuovi destini che le saranno rivelati. Verso le successive conquiste della ragione che, grazie a questa sana coscienza, potranno seguire le leggi scritte, o dipinte, nelle volte cosmiche.

E nulla distrae l'occhio del Correggio da una simile visione della verità creata, che è necessario ogni volta mettere a fuoco e purificare dagli inquinamenti provocati dall'uomo servo dei suoi fantasmi, affinché torni a essere verità.

VERMEER
invenzione della pittura d'oggi

Giuseppe Ungaretti

La sorte di Vermeer è tra le più straordinarie non tanto per la sua tarda comparsa nel campo della fama, quanto per la luce di gloria definitiva che gli è venuta dall'elogio di Marcel Proust. È noto che fino al 1866, fino alla segnalazione fattane da Théophile Thoré chiamato di solito Bürger, pseudonimo con il quale aveva firmato il saggio su Vermeer, l'opera di Vermeer non aveva suscitato molto clamore. Anche come uomo è straordinario che si fosse ingegnato a non lasciare di sé alle cronache altra traccia salvo quella derivata dal proseguimento con semplicità delle peripezie d'una vita di buon padre di famiglia e di rispettabile borghese di Delft. Il fatto più saliente accadutogli fu d'essere stato scelto dai suoi colleghi della gilda a esercitare durante un anno le funzioni di decano. C'è chi pretende che fosse cattolico e, in quegli anni, poteva in Olanda non essere sempre facile tirare avanti con tranquillità a chi lo fosse; ma non trapela affatto dalla sua pittura né dalla sua biografia che problemi religiosi gli avessero recato disturbo e nemmeno inquietudine.

Ma la sua pittura si manifesta come insolita ai suoi tempi e prima, insolita nei Paesi Bassi, e anche altrove. Dei pittori che in Europa lo precedettero o furono suoi contemporanei, solo un dipinto gli si può avvicinare. Si tratta della *Madonna col Bambino* di Piero della Francesca a Urbino. Me ne resi conto sorpreso, tornando a visitare, alcuni mesi fa, la Galleria di Palazzo Ducale. Ora, leggendo, per dovere d'informazione, gli ultimi libri apparsi su Vermeer, m'accorgo che, sino dal lontano primo saggio dedicato a Piero, Roberto Longhi aveva visto e segnalato

pagina 168:
Jan Vermeer
La lattaia, 1658-60
Amsterdam, Rijksmuseum

pagina a fianco:
Jan Vermeer
Strada di Delft, 1661
Amsterdam, Rijksmuseum

quella precedenza, e, senza dubbio, per guardare pittura, nessuno ha occhi migliori.

L'impianto delle figure di Piero, in quel dipinto come altrove sempre, è oltremodo compatto e saldo, e, in ciascuna, nella concretezza del volume corporale, domina la maestà che le fa più alte delle loro condizioni di persone umane. A destra di chi guardi, da una porta aperta, sono intraviste, in un'altra stanza, due finestre accanto, illuminate insieme, la cui luce, sulla parete dirimpetto riflessa, adagio, nel riflesso appare fettina di luce con la stessa virtù dell'ombra, la virtù d'essere di una labilità inverosimile. Prima che arrivi la labile verticalità, il manto scuro sulla spalla destra della Madonna la recide e la nasconde. In quel dipinto di Piero si scorge persino, all'estremità del lato opposto della stanza principale, al lato sinistro, in disparte, al disopra della testa di uno dei due angeli, su una scansia, un canestro ricoperto da un panno. Sopra, dovrebb'esserci, quasi invisibile, una seconda scansia. Inoltre i rapporti delle tonalità sono ottenuti ricorrendo a tinte chiare come se il vigore netto dell'espressione non potesse concederselo se non a patto e a furia d'essersi dato prova di possedere quella tenuità di tatto che esige continuo addestramento della sensibilità. Ne risulta un ambiente chiuso, d'un raccoglimento al colmo del silenzio. Tutti elementi che Vermeer non dimenticherà.

In Vermeer le figure non hanno né pretendono di avere maestà. Sono persone che per abitudine non escono da quei limiti prefissi a un vivere di medio ceto, e, tutt'al più, potrebbero arrivare a eleggersi quei limiti ambiti da chi sia molto semplice in tutto, e lo sia quindi anche nel sentire e nell'immaginare. Ciò non toglie nulla alla profondità, può dare anzi all'espressione una giusta profondità, la giusta misura della profondità, quella misura che è indispensabile aiuto nel raggiungimento di un vero che non superi le misure della persona umana, che anzi si trovi, nei limiti stessi della persona umana, presente, ad affermare la indeterminatezza della poesia persuadendola a emergere. È un lato da esaminare meglio, quello dal quale Vermeer vede e attesta, tra l'imperversare del verismo degli altri 'piccoli maestri' olandesi, la negazione di quel loro verismo, e d'ogni altro verismo, rimanendo fedele al vero.

Un'osservazione mi viene in questo momento in mente, e la noto subito in margine. A volte i visi delle figure di Vermeer quasi s'imbambolano, ma dev'essere successo in seguito allo scempio compiuto da restauratori privi d'ogni riguardo verso inermi velature. Posso dirlo. Ho visitato più volte, a distanza di anni, mostre di Vermeer, e i musei d'Olanda, e, purtroppo, mi è stato facile rilevare con amarezza, nella recente mostra di Parigi, quanto alcuni dipinti fossero stati menomati, ridotti a non apparire se non in un'incertezza dove una volta il colore, prima che lo spellassero, era colore, quel trionfo del colore che Vermeer, nell'opera sua, non ha mai trascurato né cessato di conseguire. La parentesi è chiusa.

Subito Vermeer appare come un antagonista dei 'piccoli maestri'. Un antagonista forse inconsapevole. Esporre visibili alla gente che passava, dai vetri dell'ampia finestra che dava sulla strada, stoviglie di rame lustro appese alle pareti, coperte di cuoi cordovani, sedili accuratamente scolpiti nelle loro parti di legno raro, mobili e ogni altro oggetto, specie se esotico o prezioso, era uso in Olanda, rimasto vivo, per ostentazione del proprio benessere. Compito del 'piccolo maestro' era di dipingere, come se fosse un passante, quell'ambiente chiuso solo dai vetri, eppure impenetrabile se non dagli occhi, a chi non fosse della stessa casta o della medesima setta. Il 'piccolo maestro' dipingeva con una meticolosità e un tormento da bigotto, con non altro in testa se non di fare somigliante, di fare meglio di come farebbe oggi la fotografia, ma con la speranza di non fare più di quanto avrebbe più tardi fatto la fotografia.

Anche se dei 'piccoli maestri' Vermeer adotta lo scopo principale che è quello di dedicarsi agli interni, alla cosiddetta pittura di genere, in effetti cerca altro.

Lo dicono il pittore della luce. Dicono che cercasse la luce.

Difatti cercava la luce. Si veda com'essa vibri, per lui, dai vetri, com'essa muova l'ombra, ombra della luce, ombra quasi impalpabile di ciglia mentre lo sguardo amato si socchiude, sguardo quasi – nel suo protrarsi nella memoria e nel desiderio – imitasse il segno dell'ombra. Bisogna però stare attenti nel parlare di luce. Forse, cercando la luce, Vermeer trovava altro, forse la meraviglia sublime della sua pittura è nell'aver trovato altro.

Tanti pittori hanno cercato di fermare la luce.

Caravaggio impone alla luce di sconquassare e di ridurre in pezzetti il vero, per servirsi poi di quei pezzi luminosi, con pazze rabbia e gioia dei sensi, a erigere un'architettura di un vero diverso.

Rembrandt dà a intendere d'aver ottenuto il privilegio di disporre a suo talento della pietra filosofale, può invocare una luce d'alchimia, colta quando il sole colpisce vetri e mattoni delle case con una stanchezza inverosimile, eppure in segreto oltre misura brutale. Il piombo allora si squaglia, e l'oro scoppia e divora come una lebbra.

Poussin e Corot hanno perpetuato in diverso modo, ma l'uno e l'altro attoniti e rapiti, l'esatta restituzione, in dipinti, dei boschi albani popolosi di fauni e di ninfe, coperti da un cielo d'un azzurro illibato, che staccia e va diffondendo, sotto, la sua luce giusta di paradiso non ancora perduto.

Cézanne considerava la luce in modo drammatico. Ha cercato di affermare, a dispetto e con ri-

spetto della luce, il volume degli oggetti, gli sviluppi volumetrici che l'intelletto e la fantasia di un pittore possono farsi suggerire dagli oggetti.

Seurat costruisce il poderoso volume di una figura puramente scomponendo la luce che avvolge la figura in minuscoli punti di colori complementari dell'iride.

In verità, salvo Seurat, tutti i pittori che abbiamo citato trovavano altro, non più la luce, anche se la luce era stata d'aiuto indispensabile nel trovare altro.

Potremmo andare avanti sino alla consumazione dei secoli in quest'elenco di pittori che si siano avvalsi delle risorse loro offerte dalla luce. In fondo in fondo, senza la luce non ci sarebbero oggetti, non essendo stato possibile identificarli e nominarli prima che una persona umana li avesse visti, visti con i suoi occhi.

Vermeer più che la luce ha trovato altro, ha trovato il colore, un colore vero, dato nella sua assolutezza di colore. Se in Vermeer la luce conta, è perché anche la luce ha un colore, il colore di luce, e quel colore lo vede come un colore per se stesso, come luce, e ne vede, e ne isola, anche, se è vista, l'ombra, vincolo indissolubile della luce. Nemmeno i volumi contano per lui, intrisi di luce, macerati dalla luce, balzati in avanti, protesi ventri gravidi, con tanto pudore, con tanta ansia, con tanto dolce trepidare da lui ritratti. Conta il colore. Sono dunque fantasmi quelle persone, la moglie, o una figlia, o lui stesso, quelle persone familiari ritratte, quegli oggetti consueti, evocati? È possibile. Il vero resta nella giusta sua misura, pure scappandone e divenendo metafisico, facendosi idea, forma immutabile, per non divenire alla fine se non puro colore, o meglio, accorta, misurata distribuzione di puri colori, l'uno nell'altro compenetrandosi, l'uno dall'altro isolandosi.

Una volta, portato a ragionare del rapporto dell'arte con la natura, mi era avvenuto di chiamare in

Jan Vermeer
Signora in azzurro che legge una lettera, 1662-65
Amsterdam, Rijksmuseum

Jan Vermeer
Concerto a tre, 1660
Boston,
Museum of Fine Arts

ballo Jan Van Eyck. Capisco si tratti di un pittore che ha lavorato circa due secoli prima di Vermeer, e si tratti d'un pittore fiammingo. I secoli valgono fino a un certo punto per quello che sto per dire. Le Fiandre sono certo diverse dall'Olanda; ma cugini, Olandesi e Fiamminghi, almeno lo sono. Eccovi, nel museo di Bruges, la *Madonna del canonico Van del Paele.* Sono cinque figure, quattro – un vescovo, un guerriero, la Madonna col Bambino – restano nel quadro volutamente immaginarie.

Quando, per esempio, Piero della Francesca pensa a un santo, non dimentica mai che, per giustificarlo nel sentimento umano, dovrà trovare, dipingendolo, un rapporto fra l'idea di santità e una persona vera, di carne e ossa.

Nel caso del canonico, Van Eyck non si cura invece che del contrasto fra vero e fantasia; ma non raggiunge nessun contrasto, le due parti del quadro essendo in tutti i sensi inconciliabili fra loro, essendoci assoluta incompatibilità e nemmeno la minima parcella di dramma. È il tipico caso dell'incomunicabilità. La fantasia non sa minimamente moderarla, raggiunge risultati di somma finezza, ma tale che non pare abbia più rapporto con l'essere umano, e che, se soggioga chi guarda, per virtuosismo e trasporto mistico, non riesce umanamente a toccarlo e a persuaderlo. In quanto al vero, è come se quel tanto assurdo spreco di fantasia che dedica alle prime quattro figure, lo dicevo un minuto fa, non fosse lì, proprio davanti agli occhi del canonico, a dirgli ch'era insensata illusione crederci.

Jan Vermeer
Astronomo, 1668-73
Parigi, Louvre

La figura del canonico, il donatore, il quinto personaggio, è invece di fatto così esterna al dipinto che sembra esserne stata inevitabilmente espulsa. Niente affatto pia, ginocchioni di lato, quasi a livello dell'impiantito dov'è collocata, è poderosa, compatta, prepotente, stentorea tra il via vai dei visitatori: difatti il suo altolà è tale che ci paralizza. Lasciamo andare gli occhiali e il breviario e tutta la congerie delle minutaglie non di pertinenza organica della figura, e osserviamo la faccia, che è dipinta, all'opposto delle altre, con uno spasmodico scrupolo diagnostico: ogni ruga le è imposta con spietata sicurezza, come a una terra restia il solco dell'aratro. Il pittore poi si tratterrà a lungo, come se non potesse staccarsene, dietro gli intrecci delle vene della fronte (soffriva d'arteriosclerosi, il canonico?). Il pittore è ormai arrivato intorno agli occhi e vi tormenta (si vede bene che è per lui una delizia) zampe d'oca e borse.

Ecco, tormentare, scrutare, tormentare quella povera carne finché, avendoci voluto mettere tanta natura, non rimanga altro, a Van Eyck, se non una rete farraginosa di segni, dove l'uomo s'impigli come una mosca.

Saranno i 'piccoli maestri' partiti da questo vero, o da questa 'natura' di Van Eyck? Natura e vero sono due vocaboli per dire la stessa cosa. In ogni caso, i contrasti tra vero e idea non li cercano nemmeno, nemmeno ne sanno nulla, dipingono solo il vero, e fanno bene, il vero essendo inseparabile dall'idea, e mancando l'idea è meglio non fare, come aveva fatto Van Eyck quella volta, connubi mostruosi.

Per farmi meglio intendere dirò che nella *Lezione d'anatomia* di Rembrandt l'idea (la morte) e la natura (il cadavere frugato dai medici) sono insuperabilmente, indissolubilmente unite nella medesima persona, e anche, a quella morte s'unisce l'idea di lotta (vana) dell'uomo (il suo sapere in

Jan Vermeer
Fanciulla in giallo
che scrive una lettera, 1665
Washington,
National Gallery of Art

Jan Vermeer
Geografo, 1669 ca.
Francoforte, Städelsches
Kustinstitut

progresso incessante) contro la morte. Altrove, nella *Fidanzata ebrea*, ci sarà la natura, in quella pro-
sperosa fanciulla dagli abbagli, e l'idea dell'effimero, reso tanto sensibile nella caducità del bel corpo
avvolto in uno sfavillio trionfale, ma non più dure-
vole di un attimo.

L'equilibrio di Vermeer è costante, è raggiunto senza alcuna fatica, senza alcuna stanchezza, d'acchito, spontaneamente, per semplice, immediata congiunzione dell'ispirazione alla forma, d'un lampo immedesimata nella forma.

La *Merlettaia* è china sul suo lavoro. È sguardo che si concentra, è assenza da tutto il rimanente che non sia quel lavoro, quel moto di dita che i fili annodano in trame leggiadre. Dita e sguardo non cesseranno mai di muoversi, di quel loro moto che si muove fermo per sempre. L'idea dell'infinità, d'una familiarità con il silenzio, solida, indissolubile e infrangibile; l'idea di un'esistenza immutabilmente, felicemente quotidiana, semplicemente semplice; l'idea di una solitudine tutta sola, e tutto il resto muto; questa è l'idea. Può darsi che non sia della stessa proporzione, alla sua altezza, alla stessa profondità, allo stesso livello, dello stesso segreto della pittura che la manifesta? No, nessuno lo potrebbe dire, nessuno. Alcuni esempi? *Donna che scrive una lettera.* Che cosa mai avrà da raccontare? La fronte spaziosa s'è volta un po' di lato, china verso gli occhi riflessivi. Cerca di connettere. Le si affollano in mente, in troppi, i pensieri. Le dita si affusolano intanto mostrando la grazia delle mani carezzevoli che posano, un pochinino grassottelle, una in abbandono sul foglio, l'altra trattenendo la penna impaziente di tornare a vergare care frasi.

Come sarebbe meglio possibile di arrestare per sempre l'idea dell'assenza? Non un'idea angosciosa. Un'idea di infinita tenerezza. Con appena un soffio di malinconia. È la ricchezza della solitudine d'una giovine persona umana femminile, d'una giovine donna che guarda senza alcuna fissità né fissazione; ma con un dolce slancio salito dall'anima, l'assente persona, invocandola, senza disturbare il silenzio, accrescendolo all'infinito.

Forma e contenuto hanno mai assimilato, fondendosi, una maggiore giustezza di metro umano?

Se dovessi ricapitolare ciò che, alla buona, sino qui ho detto di Vermeer, direi che potremmo avere già qualche nozione sui motivi che lo separano dai 'piccoli maestri' suoi contemporanei; sull'importanza che la luce ha per lui, considerandola a sé, come essa stessa un colore, e reputandola, lo provano i suoi dipinti, anima d'ogni colore; sull'equilibrio e l'immedesimazione che sempre raggiunge nei suoi dipinti, tra arte, idea e natura, rispettando nel vedere, sentire e fantasticare, le persone e gli oggetti secondo le naturali apparenze del loro vero.

Occorrerà ch'io riprenda a discorrere del colore. Proust non era forse un impeccabile uomo di gusto, agli occhi nostri. Viveva nei dintorni di Montesquiou, andava matto per i vetri di Gallé, era fautore del liberty fino alla nausea, fino a esserne ossesso, e riferiva di musica come uno che oggi lapideremmo. Ma ai suoi tempi, la bruttissima *belle époque*, aveva indubbiamente più gusto di tutti gli altri. Cito alcuni passi di Proust: "Avete visto certi quadri di Vermeer, vi rendete conto che sono i frammenti d'un medesimo mondo, che è sempre, quale sia il genio che li ha rimessi al mondo, la stessa tavola, lo stesso tappeto, la stessa donna, la stessa nuova e unica bellezza, enigma, a quell'epoca dove nulla le somiglia né la spiega, se non si cerchi di apparentarla ricorrendo ai soggetti, ma di svincolarne invece l'effetto particolare che il colore produce".

"Un critico avendo scritto che nella *Veduta di Delft*, quadro che Bergotte prediligeva e credeva di conoscere benissimo un brano di muro giallo (non se ne ricordava) era dipinto tanto bene che era, se lo si guardava da solo, d'una bellezza che bastava a se stessa…"

"Si ripeteva [l'agonizzante Bergotte]: Brandello di muro giallo con una tettoia sotto, brandello di muro giallo."

Jan Vermeer
Donna in piedi davanti alla spinetta, 1671
Londra, National Gallery

Il sommo pittore Vermeer era scoperto, il precursore, quello che stava aspettando la pittura informale, quello che doveva avere pazienza sino alla seconda metà del novecento per essere capito e seguito dai pittori.

Come avrà fatto Proust ad avere, in questo caso, intuizione e maggior gusto, non dico solo dei suoi contemporanei, ma anche di quasi tutti noi che viviamo quasi mezzo secolo dopo la sua morte?

Guardate *La viottola*, o *La stradina* se così vi piace di chiamarla. Quella sua fattura piatta piatta, con le lastre che si sovrappongono di granato e grigio, ed è solo nella diversità tonale l'indicazione della loro ora, il loro stato, l'apparenza, fattasi immutabile per mano dell'arte, in quel momento effimero di quel giorno. Bellezza nuova e terribile d'una casa.

Nel *Concerto* è l'apparizione del giallo. La fanciulla è alla spinetta. Il giallo lo modulano le pieghe del vestito. C'è il dorso di cuoio di una sedia, rossastro cuoio, è un'isolata assolutezza di colore come nel famoso giallo del brandello di muro. Per l'assolutezza del colore, si osservi anche l'andirivieni, l'annuvolarsi, l'abbuiarsi delle lastre bianche e nere del pavimento, nello stesso dipinto. Le direi lastre di marmo; ma la memoria potrebbe questa volta, e chissà quante altre volte è avvenuto e avverrà, non essermi fedele.

Dovrò citare il giallo, il sulfureo giallo del giaccone della *Donna che scrive una lettera*, dipinto già citato, e si tratta di giallo invadente, di prepotenza del giallo. Lo stesso giallo e con lo stesso giaccone si ripete nella *Donna e la sua servente*, e ancora il medesimo giaccone appare nella *Collana di perle*.

Ci sarebbe da parlare anche dell'azzurro, di svariate intensità, un colore non meno importante del giallo nella tavolozza di Vermeer.

E che cosa può dirsi del rosso? Per esempio di quel rosso della *Dama dal cappello rosso*? È un rosso scarlatto, un rosso sangue, un rosso fuoco. Sono piume, lievi, furenti, piume che s'inquietano e s'agitano al minimo soffio, e quale splendore invade, per loro virtù, il dipinto.

Un ventaglio di rossi vivi, un ventaglio di azzurri vivi, un ventaglio di gialli vivi, e, quando occorra, nel vivo, insinuazione di grigio o di marrone. Vermeer è tutto qui. L'inventore della pittura più valida d'oggi, è tutto qui. Ma mi pare che quel 'qui' sia una vastità.

MATISSE
la gioia, e oltre

Mario Luzi

Henri Matisse non si presenta sotto le vesti di artista *boulevardier*. Nessuno degli attributi che nel mito postumo vanno associati con l'artista d'avanguardia – euforia, disperazione, gusto dello scandalo – si potrebbe ritrovare sul volto grave e tranquillo da clinico che, nella cornice di una barba niente pretenziosa e armato di lenti a stanghetta, Matisse ebbe fin dalla prima gioventù, salvo a tramutarlo più tardi in quello spianato e limpido del saggio. Le agitazioni esteriori, il rumore, lo spreco che accompagnano di solito l'inquietudine reale e il rischio della scommessa con l'arte non sembrano aver mai turbato la sua compostezza né reso più elettrica la sua figura calma e meditabonda. Matisse assorbe con molta serenità lo *choc* dei messaggi artistici adiacenti, assimila, procede arditamente senza dispersioni e non perde tempo a misurare dall'esterno la portata delle sue risoluzioni o a prevedere la sorpresa delle sue riuscite. Quando al Salon del 1905 espone la *Dama con cappello* casca dalle nuvole a vedere lo scandalo suscitato.

In buona fede, dobbiamo credere. Infatti la sua pittura anche a quel tempo è del tutto immune dalla *vis* polemica connessa con l'innovazione. La coscienza di fare della nuova pittura non manca, beninteso, ma è meno forte della coscienza di fare della buona pittura. La sua natura positiva lo concentra sul lavoro di progressiva conquista di chiarezza e di libertà e lo distoglie dal confronto teorico e dal contrasto programmatico. Matisse lavora fin da principio da uno stato di centralità, è subito dentro il processo di conoscenza e di creazione, e non si preoccupa di affermare una sua teoria, meno ancora

pagina 188:
Henri Matisse
La danse, 1910, particolare
San Pietroburgo, Ermitage

a fianco:
Henri Matisse
Nudo sdraiato, 1907
New York,
Museum of Modern Art

Henri Matisse
La joie de vivre, 1906
Merion, Barnes Foundation

una sua qualsiasi *trouvaille*. Questo combattimento che per altri è stato una forza e un limite se l'è risparmiato, o meglio gli è stato negato dalla continuità assorta della ricerca non meno che dalla felicità e dalla grazia esclusiva del dipingere. Matisse si inoltra silenziosamente nell'universo espressivo nel quale è stato collocato fin dall'inizio e non conosce vere e proprie crisi, tanto meno sbandamenti. Il suo raro discorso teorico non ha bisogno di impostazioni preliminari ma nasce dal suo lavoro in atto.

Quando ho cominciato ad amare la pittura di Matisse? Stranamente mi accorgo che non c'è una data per questo incontro. Penso proprio che appartenga a quel genere di amori fondamentali che non hanno una stagione precisa e forse non hanno nemmeno un inizio: semplicemente, polarizzano desideri profondi e inconsapevoli, portano alla luce aspirazioni segrete.

Matisse rappresenta la polarità gioiosa e solare a cui in modo controverso, in tempi fitti di lacerazioni e di strappi, la mia natura tendeva se non altro come a un indispensabile complemento. L'alterità, dunque, che detiene ed elargisce luce e chiarezza, rassicurante per questo, rassicurante anche perché permane intenta alla propria metamorfosi in una specie di sublime indifferenza a ciò che le è esterno, diciamo pure la storia. Come avrei voluto somigliarle. Vivere – non vegetare – nel ritmo dei puri eventi della luce e della forma con la certezza di trovarmi là dove accade quello che importa, il continuo verificarsi e fervere di principi dell'universo, ben al di sopra degli oscuri fenomeni, quasi superflue metafore, del dibattimento dell'uomo e del tempo.

Matisse ha intitolato un suo quadro *La Joie de vivre*: è un quadro esposto al Salone degli Indipendenti nel 1906. A quel tempo la tecnica impressionistica e anche quella neoimpressionistica maturata sulle rive del Mediterraneo vicino a Signac è ormai alle sue spalle. Già da un pezzo il colore grida erompendo dall'amalgama, ma qui una sua più libera e irrelativa deflagrazione s'irradia per la grande tela. In ogni senso la violenza cede a una raggiunta armonia. Se facciamo attenzione, ecco non grida più, canta dopo aver vinto tutte le resistenze. Per quanto l'immagine di quella felicità appartenga ancora alla mitologia ottocentesca dell'eros boschereccio, il fuoco sensuale lascia completamente il campo a quello ben più sottile e festoso della composizione le cui linee geroglifiche ripercorrono un ritmo da attribuirsi tale e quale all'universo. È quella gioia dunque, quella vita che intendevo dire: non il godimento e il piacere dei suoi beni sensibili, ma l'estasi di partecipare al suo perpetuo avvenimento, alla sua epifania e al suo moto in-

Henri Matisse
Le luxe, 1907
Copenaghen,
Statens Museum for Kunst

trinseco: o più esattamente alla sua intrinseca modulazione. Certo tra la gioia che Matisse scopre in quel profondo attuarsi della vita e quella più spicciola dell'esistenza ci sono pure dei contatti: anche gli oggetti e i corpi del nostro trantran quotidiano ne sono beneficati, divengono anch'essi amabili e festosi; ma solo come frammenti e incidenti di una letizia totale; e non hanno l'aspetto di cose d'uso e possesso di cui il senso possa troppo confidenzialmente profittare. A questo proposito potremmo scegliere qualunque esempio, ma proprio per il loro carattere dimostrativo andiamo col pensiero alle grandi composizioni che si chiamano quasi per una paradossale antifrasi *Le luxe,* e specialmente alla seconda, più risoluta, che si trova al Museo di Copenaghen. Neppure la sensualità che pur filtrata dalla magia irradia la parola baudelairiana qui è più reperibile. La trasparenza del colore, delle linee e dell'ampia modulazione ritmica ha rimandato la scena in un ordine che non ha più parentela con il desiderio e neppure con il concetto, ma è l'ordine entro il quale la vita secondo Matisse scandisce il suo respiro.

Una evidenza che trovo addirittura proclamata in un quadro di oggetti, matissiano fino allo squillo, come *La fenêtre bleue*: vivissimi, sprizzanti, il vaso, il lume, la boccia; ma come scorporati dalla partecipazione allo spazio che respira tra gli alberi, i monti, le nuvole, e sviluppa una melodiosa vicenda inglobando il tutto.

Del resto Matisse libera progressivamente il colore da ogni servitù e perfino da ogni relazione con i corpi. Ben oltre la perpetua eventualità impressionistica del colore sotto l'imperversare della luce, Matisse fa del colore una promanazione della luce stessa, non della fisica della luce ma della trasparenza luminosa dell'universo: un modo non del senso ma della mente librata al di sopra del piano delle appa-

Henri Matisse
Le luxe, 1907
Parigi,
Centre Georges Pompidou

Henri Matisse
Grande nudo disteso, 1935
Baltimora, Museum of Art

renze. Il colore sganciato di Matisse splende di luce propria perché è un aspetto che ha preso la luce stessa nel suo divenire, e gli oggetti che vi sono immersi non hanno da opporle nessun'altra verità. Eppure non c'è astrazione dal reale; tanto meno arbitrio. Al contrario, la realtà appare vivida, fluviatile come se vi passasse sopra l'acqua traslucida o l'umore luminoso della vita e fosse immersa nella sorgente dove si rinnova continuamente la sua vena. Una vita come luce, una luce che si esprime in colore. In colore e in linea, dovremmo aggiungere, perché anche il disegno di Matisse è una traccia e un modulo di quella vita e di quella luce e segnala profonda immissione dei corpi in quel loro ritmo.

Il ricorrere di quest'ultima parola non deve meravigliare: nelle sue *Note di un pittore* Matisse ci confida: "Quando ho trovato il rapporto di tutti i toni, il risultato deve essere un'armonia vivente di toni, un'armonia non dissimile da quella di una composizione musicale". È un altro modo per dire il principio unitario e continuo che regola la vita se riusciamo a trascendere la superficie frammentaria e contraddittoria – drammatica – dei suoi episodi e ci portiamo a un punto che è anteriore alla sua dialettica. Nella sfera, dunque, ancora della gioia contemplativa e attiva.

A questo punto non si può forse evitare una considerazione banale che tuttavia torna spesso. L'arte pittorica di Matisse possiede innegabili qualità decorative; cioè è piacevole anche come ornamento perfino quando l'artista non dirama la sua spinta luminosa e coloristica in quelle smaglianti *tapisseries* che sembrano appunto esaltarne questo valore e scioglierla da qualunque compito di significare. Ma è un errore. In realtà al livello in cui Matisse percepisce la vita e al livello di significato che vuole imprimerle non ci sono vere gerarchie, non ci può essere neppure una centralità e una periferia se non in

Henri Matisse
*Odalisca appoggiata
a una poltrona turca,* 1928
Parigi, Musée National
d'Art Moderne

ordine all'armonia da captare all'interno del quadro: al di fuori dunque di qualunque priorità stabilita dal sistema inveterato della logica e della morale col suo sottinteso di antropocentrismo. Il significato per Matisse risiede nel puro e totale esprimersi della vita e non è legato ad alcuna volontà espressiva particolare. Il che in termini di tecnica si traduce così: "Tutta la disposizione della mia pittura è espressiva. Il posto occupato dalle figure o dagli oggetti, gli spazi vuoti intorno a essi, le proporzioni, tutto ha una parte da sostenere". La parte appunto della vita che si manifesta indipendentemente dalla nostra tabella dei valori e dalla nostra interessata e riduttiva focalizzazione su un dato, su un punto ecc.

Questo è ciò che nelle formule storiografiche è passato sotto il nome di pittura pura. Per mio conto sento di dover ancora ribattere il concetto di gioiosa e libera percezione della vita e della sua manifestazione a un grado solare e non ancora turbato dalla passione, soltanto ricevuto dall'intelligenza e dal senso.

Henri Matisse
La danse, 1910
San Pietroburgo,
Ermitage

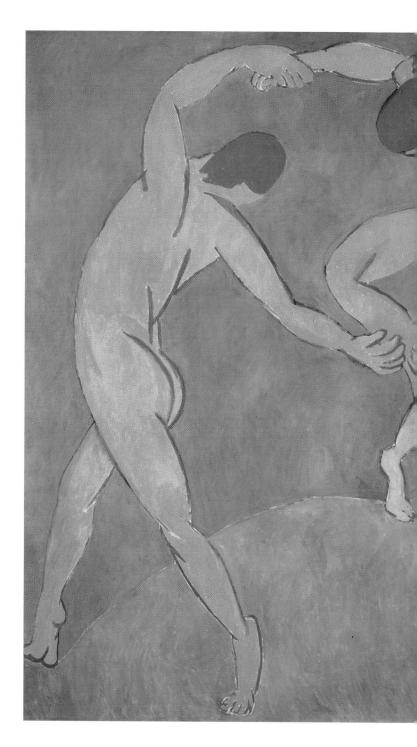

Henri Matisse
L'albero della vita, 1948-51
Vence, vetrate della
Cappella del Rosario

Dopo questo bisogna però mettere l'accento sulla demiurgia di Matisse, decisa ma altrettanto limpida quanto la sua percezione del vivente. Mettere ordine nel caos, questa è la creazione – dice Apollinaire in una intervista a Matisse nella "Phalange" del 1907. E infatti, autorizzato dal senso infallibile della profondità percepita, l'artista esercita con sicurezza, senza essere neppure sfiorato da un sospetto di arbitrio, la sua pienezza di diritti sul colore e sul segno. È, per meglio dire, una specie di sovranità e la connessa gioia di averla. Ma il bello di Matisse è che non la ostenta, non la lascia neppure apparire come tale. Piuttosto, la trasmette direttamente al colore e al segno stesso, sicché è più proprio parlare di sovranità assoluta del colore e del segno: i quali manifestano la vita e la sua legge di perpetuazione e insieme la contengono. Soprattutto nel segno è riconoscibile la mano che, ricevuta la rivelazione, ne incide la melodia, la accompagna fino al limite dell'attualità figurale, ne decide la durata e la forza e la lascia poi trascorrere oltre senza bloccarla. Una mano che, libera e signora, spazia in un universo luminoso, fluido e trasparente, divenuta essa stessa lucida e perspicua. Essa non fa violenza alle cose e non è loro tributaria, ma recepisce l'armonia in cui sono poste e ne definisce la presenza nel movimento e nella quiete. Movimento e quiete… essi si integrano (e forse si identificano) nell'essenza del mondo che è la luce.

Questo fare e procedere presuppone la signoria sullo spazio, e Matisse la possiede. Non uno spazio tagliato dal tempo e tanto meno dall'attimo, circoscritto dall'ambiente: e neppure uno spazio astratto o mentale: piuttosto uno spazio sensibile e vivente, continuo e disponibile al perpetuo evento della vita e delle sue forme. Il 'dove' in cui collocare le epifanie del colore e le linee di un ininterrotto disegno, quell'infinito arabesco che è la trama scorrente dei corpi nell'ordine profondo dell'universo. Le figure soprattutto del tardo Matisse, sottilmente segnate e rilevate da una linea ciclica, fanno pensare a una ideale vascolarità. Vale a dire che l'artista non si ferma su un punto né obbedisce a una richiesta intensa ma particolare che gli provenga dalla realtà: un po' come il sole fermo nello spazio illumina e vede le rotazioni dei corpi intorno a lui più che i corpi in sé e li vede senza scrutarli dentro nella loro accezione di forme. Vista da questo punto, la loro forma esprime tutta la loro natura. C'è una invidiabile levità in questo sguardo senza ombre non contaminato dall'oscurità della passione, ma non c'è superficialità, piuttosto una festa dell'essere a cui l'umanità se partecipasse è presumibile si solleverebbe e si rischiarerebbe. La onnipresente decorazione di Matisse è l'ornamento di un trionfo solare, sta a dire che tutto il mondo è in luce: tutt'altra cosa dunque che un pedaggio pagato all'eleganza.

Quando Matisse si mise all'opera per la chiesa di Vence si trovò a fronteggiare un dramma che non era il suo. Sofferenza, espiazione, resurrezione cristiana erano estranee non dico alla sua visione della storia umana, ma certo alla cosmologia della luce che muove il suo talento. Pure, a quanto è dato arguire, anche il dramma cristiano si risolve in senso matissiano: e cioè in una teofania della luce, in un rito della solarità. Infatti l'artista sottopone il concetto di miseria e di peccato a una trasformazione in chiave di disarmonia (vedi la Crocifissione) e quello della Resurrezione in chiave di trionfale chiarità e armonia. Non occorre pensare a una gnosi particolare alla quale Matisse sia stato iniziato; basta riflettere che anche il dramma cristiano si esprime nell'unico linguaggio che per il pittore conta, quello della luce come essenza del mondo: anche il verbo di Cristo ne è una manifestazione.

Non credo sia necessario tornare ancora sulla nozione di scrittura totale, di enorme geroglifico instaurato nella continuità dell'evento della vita; principio di cui il concetto di decorazione non è altro se non una metafora. Ma ci viene fatto ugualmente di richiamarla a proposito dei *papiers collés* che furono l'ultima possibilità d'espressione rimasta all'artista infermo. Ritagliava le sue carte dai colori teneri e fiammanti, con una canna ne ordinava la disposizione su telai grandi come la parete dell'*atelier*. Tutto questo, che per ogni altro artista sarebbe stato un diversivo, restava ancora al centro del linguaggio di Matisse. Nel ritmo continuo, nella modulazione della partitura, nella circolazione della luce tra quelle masse di colore già dato c'è anzi la riprova del respiro originario che avviva Matisse. A un'intuizione così alta potevano corrispondere mezzi così elementari. Tra decorazione portata all'estrema umiltà dell'evidenza confessa e assolutezza c'era un'emozionante coincidenza.

Il discorso resiste se passiamo alla plastica, una passione che accompagnò Matisse per tutta la vita. Una compensazione alla immaterialità relativa della sua pittura? O una scommessa sulla integralità della legge espressiva dell'arte su un materiale che sembra avverso? Fatto sta che, dall'insegnamento di Rodin, Matisse prende il movimento della linea, la cadenza che trascende il corpo pur modellandolo, cancella la verità momentanea e circoscritta del soggetto immettendola in una più ampia e continua, quasi avesse fermato solo un momento dell'eterna danza. Questo della danza è del resto un tema implicito e profondo che parallelamente a quello della musica sale in superficie nei famosi quadri eponimi di Mosca dove persino la *joie* è superata dal senso attento di andare così ripetendo l'ordine della necessità cosmica.

Henri Matisse
Il volo di Icaro, 1947
Parigi, Musée National
d'Art Moderne

PICASSO blu e rosa esplosione della maniera

Alberto Moravia

Guardiamo prima di tutto alle date. Nel 1910, a Trieste, James Joyce dà inizio all'*Ulisse*. Nello stesso anno Igor Stravinsky fa rappresentare a Parigi *L'uccello di fuoco*. Pablo Picasso, un po' prima, tra il 1903 e il 1906, dipinge quadri come *I giocolieri*, *La vita*, i *Miseri in riva al mare*, la *Bevitrice d'assenzio*, *La coppia*, l'*Acrobata e giovane equilibrista* ecc. Vale a dire, il secolo comincia esattamente come doveva poi proseguire e come tuttora prosegue, con un'arte rifatta sull'arte, un'arte non più in presa diretta sulla realtà ma mediata dall'estetismo, un'arte convogliata dalla coscienza critica fuori dalle tempeste della creatività verso le lagune immobili della maniera e dunque, più tardi, del consumo. Contemporanei o appena precedenti, c'erano stati o c'erano tuttora artisti realistici, come Marcel Proust il cui progetto, in fondo, non era troppo diverso da quello di un Balzac; Vincent Van Gogh che aveva saputo raccontare addirittura la propria *escalation* verso la pazzia; Richard Wagner che, con l'illusione di adombrare un mito eterno, aveva scritto con il *Tristano* un'opera di piccole proporzioni, ben cesellata e ben costruita, sull'amore borghese.

Che cosa accomunava Joyce, Stravinsky e Picasso? Che non avevano niente da dirci, o meglio non volevano dirci niente sopra se stessi e dunque sul loro rapporto con la realtà, ma moltissimo sull'arte e sul loro rapporto con l'arte. Indifferenti nei riguardi del mondo al quale rifiutavano qualsiasi partecipazione che non fosse mediata dall'arte, questi tre artisti erano caratterizzati da una genialità di specie riflessa, critica, tecnica, contemplativa. Prim'ancora che l'animo del creatore, avevano l'occhio dell'este-

pagina 206:
Pablo Picasso
Autoritratto con cappotto,
1901
Parigi, Musée Picasso

pagina a fianco:
Pablo Picasso
*Acrobata e giovane
equilibrista,* 1905
Mosca, Muzej Puškina

ta, il fiuto del conoscitore, la mano dell'imitatore. Erano tre geni voraci e versatili che, dopo aver bruciato in pochi anni la carriera dell'artista tradizionale legato alla rappresentazione della realtà, avrebbero saputo oltrepassare il limite un tempo invalicabile dell'esaurimento, spostando la loro opera dalla vita alla cultura.

Per mandare a effetto una simile operazione bisognava avere il coraggio, attraverso uno sperimentalismo eretto a sistema, di negare validità di ispirazione al già vissuto e attribuirla invece al già detto. In altri termini, di sostituire al mondo il museo. È quello che hanno fatto Joyce, Stravinsky e Picasso che, a ben guardare, sono stati i curatori di un immenso inventario per fini di appropriazione e di saccheggio.

Del resto era giusto che fosse così. A partire dal primo conflitto mondiale e dal conseguente crollo dei valori, tutta l'arte del passato, colpita da morte improvvisa, diventa istantaneamente museo. Ora, il museo a che serve, se non a stabilire dei paragoni improbabili, degli accostamenti riduttivi, dei cataloghi catastrofici? Con il museo spunta l'idea della relatività degli stili, della pluralità delle forme, e della vanità dell'espressione. In ultima analisi l'idea del consumo inteso come trasformazione della creazione in prodotto. Joyce, Stravinsky e Picasso sono, involontariamente, i tre artisti geniali e disinteressati che hanno fornito al consumo, sinora ignobile e mercenario, le sue carte di nobiltà, facendolo scaturire non più dalla richiesta del mercato ma dall'esigenza culturale.

Trattando l'arte del passato come un repertorio di stilizzazioni manieristiche, ne hanno reso possibile lo smercio di massa. Ladri di forme, hanno ucciso la vita nelle forme, le hanno ridotte a schemi. Essi hanno probabilmente chiuso per sempre l'era degli artisti che avevano qualche cosa da dirci; hanno iniziato l'era degli artisti che hanno qualche cosa da

Pablo Picasso
La stiratrice, 1904
New York, Solomon
Guggenheim Museum

darci. Giochi di parole a parte, con loro comincia il grande manierismo alessandrino di tipo atlantico, basato sulle società consumistiche dell'Europa Occidentale e degli Stati Uniti. Comincia il cimitero-museo-spettacolo-mercato-fiera-esposizione-emporio dell'arte ormai condannata a essere per sempre contemporanea e d'avanguardia.

Tralasciando i suoi due compagni dell'avventura novecentesca, che cos'è che rivela in Pablo Picasso il grande, spietato, geniale manierista? Diremmo sopra tutto la trasformazione della visione del mondo particolareggiata, personale e oggettiva in mera espressione di generica vitalità. Prendiamo di nuovo come termine di confronto l'opera di Van Gogh. L'autobiografia di Van Gogh è davanti a noi sulle sue tele, dall'adolescenza oscura fino all'oscurità della pazzia. Questa autobiografia si esprime direttamente e immediatamente attraverso le seggiole dal fondo di paglia, i ritratti e autoritratti, i fiori di cardo e i girasoli, i paesaggi con i campi di grano e i filari di cipressi, le camere da letto e i bigliardi, le aiuole e i boschetti del manicomio. Van Gogh non può fare a meno di parlarci di se stesso; questa esigenza gli impedisce di passare dall'espressione all'autoimitazione. D'altra parte lo stile di Van Gogh, pur così marcato, non diventa mai maniera: esso è una deformazione sentimentale, perversa, ossessiva, maniaca, mai estetizzante, mai contemplativa.

In Picasso invece l'autobiografia fa prestissimo a diventare, attraverso lo sperimentalismo, affermazione di vitalità, e dunque maniera. Il mezzo di cui, inconsciamente, Picasso si serve per dissolvere la propria visione del mondo in puro vitalismo è la contemplazione della forma. Picasso sente le forme come prive di qualsiasi significato all'infuori di quello biologico. La contemplazione della pittura di tutti i secoli gli fa abbandonare quasi subito l'autobiografia, ossia la storia di se stesso, per l'astorico *élan vi-tal*. Picasso si accorge molto presto che ciò che conta (a posteriori) nell'opera di un artista non è quello che ci ha detto ma il suo complessivo tasso di vitalità. Ma un conto è essere vitale senza saperlo, e un altro ricercare prima di tutto e sopra tutto la vitalità. Un'operazione simile non può infatti non portare all'idea che la forma sia vitale più o meno in quanto è più o meno stilizzata, ossia più o meno rivelatrice di una non bene precisata 'forza'. Il che equivale a dire che l'artista è vitale perché è vitale. Tautologia significativa. Dire infatti che la vita è la vita vuol dire, in fondo, escludere che la vita possa essere diversa da quella che è.

La vitalità esclude la visione del mondo, perché la visione del mondo si ferma e si sviluppa a partire dall'abbandono del terreno sicuro della vitalità. E chi rimane fedele alla vitalità non può aspirare a forgiarsi una visione del mondo. Al livello della vitalità, non c'è ancora il mondo degli uomini con le sue convenzioni e la sua storia; esso è sottinteso però nella vitalità, e per questo, a conti fatti, è inutile parlarne. Chi crede nella vitalità, non crede propriamente a nulla, pur credendo a tutto. Cioè a nulla di veramente umano. Crede invece in un dato irriducibile, originario, primitivo e ferino che, curiosamente, porta, in arte, all'eclettismo, al culturalismo e soprattutto al formalismo.

Naturalmente non si allude qui al formalismo calligrafico e decorativo, bensì al culto pluralistico delle forme intese come pure proliferazioni dello slancio vitale. Mentre la simbiosi, poniamo, di un Manet con Velázquez è raggiunta attraverso un delicato e misterioso processo di riallacciamento e di assorbimento, per Picasso, il quale ha sostituito il culto della vitalità alla visione del mondo, sarà facile, nella sua lunghissima carriera, trarre motivi di ispirazione via via dal Greco, da Lautrec, da Van Gogh,

Pablo Picasso
Vecchio cieco e ragazzo, 1903
Mosca, Muzej Puškina

da Degas, da Bonnard, da Gauguin, da Cézanne, da Puvis de Chavannes, da Goya, da Dürer, dai vasi greci, dall'arte negra, da Matisse e da altri pittori suoi contemporanei, e infine da se stesso. Noncurante di quello che gli artisti hanno voluto dire, egli rapirà loro le forme di cui avrà via via bisogno come stimoli e provocazioni all'espressione della propria vitalità.

Che c'è di comune, per esempio, tra Picasso e l'*art nègre*? Risponderemmo volentieri alla maniera di Hemingway, altro grande 'vitalista': "*the guts*".

Ossia l'idea di una violenza espressiva sopra tutto biologica, anzi fisiologica, provata e dimostrata dalle vertiginose stilizzazioni delle sculture africane. Sì, all'origine del manierismo moderno non c'è l'estenuazione dello slancio vitale come nel manierismo postrinascimentale, bensì lo sbrigliamento e scatenamento di quello stesso slancio attraverso il museo dell'arte di tutti i tempi. Nel manierismo tradizionale si esauriva un momento storico dell'arte; in quello di Picasso e degli artisti simili a Picasso esplode la

Pablo Picasso
Madre e figlio, 1905
Stoccarda, Staatsgalerie

216

libertà forse illusoria del più vasto eclettismo e alessandrinismo di tutti i tempi.

Guardiamo ora al periodo blu e al periodo rosa; cioè al tempo in cui il culto della vitalità si pone ancora dei limiti, diciamo così, di contenuto, prima che venga la rivelazione (*Les demoiselles d'Avignon*) della vitalità come pura riflessione critica fusa con la pura volontà eversiva. Guardiamo, per esempio, ai quadri del periodo barcellonese, nei quali Picasso descrive con pietà, solidarietà e strazio (o almeno crede di farlo) la povertà, la fame e la destituzione, in un momento in cui lui stesso era povero, affamato e destituito. La prima cosa che si osserva è lo sforzo continuo nel sottolineare con atteggiamenti affranti, umiliati, addolorati, mortificati, dolenti, avviliti le sofferenze dei miserabili. Ma, curiosamente, queste sofferenze sembrano tutte quante, per Picasso, portare a un solo effetto: la mancanza di vitalità, la devitalizzazione, il venir meno, insomma, dell'*élan vital*. Sì, le figure sono tutte ritratte in atteggiamenti eloquenti, atteggiamenti di creature vinte, oppresse, disperate: spalle reclinate, teste piegate, braccia conserte, corpi rannicchiati, camminate esitanti, abbracci dolorosi, amplessi amari e via dicendo. Tutta un'umanità affranta, sulla quale si direbbe che Picasso getti uno sguardo impregnato di cristiana pietà.

Ma non è così. Picasso non è cristiano e non ha pietà. Quello che gli sta a cuore è qualche cosa di contraddittorio e di lontano in ogni caso dalla partecipazione sentimentale: esprimere il minimo di vitalità propria della miseria e della fame con il massimo di vitalità propria dell'arte. Così gli atteggiamenti di queste figure dolenti sono sempre studiati, eleganti, compiaciuti, accarezzati, stilizzati. La devitalizzazione è sentita come forma plastica, non come disperazione morale. Siamo nel 'pietismo', non nella

Pablo Picasso
Celestina, 1904
Parigi, Musée Picasso

pietà; nel miserabilismo estetizzante e misticheg-
giante di certi decadenti, non nell'immedesimazione
di un Dostoevskij.

Del resto, si osservino i volti contriti e dolorosi
di questi reietti di Picasso: *gli occhi sono vuoti*. Quanto dire che Picasso ha affidato l'espressione del dolore non già al volto, sede della psicologia che ne è il
testimone sincero e involontario, bensì all'atteggia-
mento del corpo, che non può non avere qualche cosa di studiato e di recitato. I personaggi di Picasso,
in altri termini, più che essere addolorati, recitano il
dolore. Mentre non si può fare a meno di rimanere
ammirati di fronte alla completezza, maturità e sicurezza espressiva di questo primo Picasso (se Picasso
fosse morto o avesse cessato di dipingere nel 1906,
sarebbe stato ugualmente uno dei grandi pittori rap-
presentativi dell'epoca); mentre non si può non rimanere affascinati dal mistero della forma picassia-
na, si deve notare lo stesso che la maestria precoce
di Picasso è strettamente connessa con la sua indifferenza sperimentale e manieristica.

Si prenda d'altra parte il quadro intitolato, in
modo tipico: *La vie* (La vita). È un quadro, in fondo,
religioso; ma della sola religione che Picasso ricono-
sca. La stilizzazione da vetrata di chiesa non deve in-
gannarci: la *vie* è la vitalità, intesa in senso meramen-
te biologico. E infatti la famiglia umana che ci
presenta Picasso è la famiglia biologica, che non è
possibile rappresentare se non attraverso una stilizzazione simbolica e manierata. L'argomento qui è
trattato, in fondo, come nel quadro delle tre età della donna del quasi contemporaneo Klimt. A conferma si veda come Picasso, sullo sfondo del quadro, abbia messo due quadri raffiguranti due coppie
diversamente abbracciate. Perché due quadri? Perché non siamo nel mondo reale bensì nel mondo del-
l'arte, cioè non siamo di fronte a una visione del mon-

Pablo Picasso
La vita, 1903
Cleveland, Museum of Art

218

do, bensì di fronte a una ricerca della vitalità attraverso le forme. Picasso stilizza, simbolizza, contempla. Il dolore della vita scompare; rimangono le figure del dolore atteggiate elegantemente nella loro pietà di maniera. La famiglia di Picasso non è la famiglia umana. Strappata dalla storia e restituita alla biologia, essa è anzitutto la famiglia blu.

Già, perché, a questo punto, bisognerà pur dire che significa il colore unico, il blu, il rosa. Perché il blu? Perché il rosa? Perché, insomma, la monocromia? Arrischiamo qui un'ipotesi che a molti forse non garberà: la monocromia è il passo più importante verso la maniera, cioè verso l'indifferenza sperimentale nei riguardi della ricchezza e complicazione di un'autentica visione del mondo. Monocromia vuol dire semplificazione, stilizzazione, unificazione. La monocromia sta a indicare un'idea strettamente formale del mondo, addirittura un'idea *colorata*. Non si tratta qui del prevalere graduato e comunque parziale di un colore, come il verde nei quadri del Greco. Si tratta dell'immersione del mondo in una sola tonalità: della frapposizione, tra gli occhi e il mondo, di un unico occhiale illusorio. In realtà, il mondo non è blu: il mondo è povero, oppresso, affamato, miserabile come Picasso stesso riconosce oggettivamente nei suoi quadri del periodo blu. Ma per l'appunto il blu nega la miseria e la fame nel momento stesso in cui il pittore le presenta. Afferma invece la volontà di Picasso di mettere in prima linea se stesso, cioè la propria generica vitalità, fuori d'ogni giudizio e di ogni scelta morale, attraverso un colore totalitario e demiurgico.

L'estetismo, il manierismo, il vitalismo, la stilizzazione di Picasso si rivelano d'altronde nella sua predilezione, in quegli anni, per l'argomento dei saltimbanchi. Il saltimbanco è una figura di moda durante tutta la seconda metà dell'Ottocento. Perché

Pablo Picasso
Ritratto di Gertrude Stein,
1906
New York, Metropolitan
Museum of Art

dunque i saltimbanchi? Diremmo proprio perché altri artisti (per tacere dei poeti e in genere dei letterati) li avevano già disegnati e dipinti in passato. Per lo stesso motivo per cui più tardi Picasso rifarà i tori di Goya, i nudi dei vasi greci, le maschere negre. Non ci sono nel mondo degli oggetti verso i quali Picasso si senta irresistibilmente, patologicamente attirato come Van Gogh dalle sue seggiole col fondo di paglia e i suoi girasoli e i suoi fiori di cardo; ciò che attira Picasso è quasi sempre ciò che ha attirato altri prima di lui. O meglio, gli oggetti non l'attirano affatto in quanto oggetti, bensì in quanto forme di oggetti, ossia oggetti già di secondo o di terzo grado.

Così i saltimbanchi. Ecco la *Famiglia di acroba-ti con scimmia*; ecco l'*Acrobata e giovane equilibrista*; ecco l'*Arlecchino seduto*; ecco *L'attore*; ecco il *Lapin agile (Autoritratto da Arlecchino al caffè)*; ecco *I gio-colieri*; ecco il *Giovanetto nudo a cavallo*; ecco il *Gio-vane Arlecchino e bambino con cane...* Che cosa si nota a prima vista in questi quadri tra i più belli di quel periodo, nei quali, ancora una volta, Picasso cerca di esprimere la sua pietà per i miserabili? Che questi miserabili per Picasso non sono che pretesti per degli elegantissimi e prestigiosi contrappunti. Si prenda per esempio il quadro dell'*Acrobata e giova-ne equilibrista*, quadro emblematico del periodo e senza dubbio uno dei più affascinanti. Il contrasto tra la gracilità graziosa e miracolosamente equilibra-ta dell'acrobata che giunge a piedi sulla palla è mes-sa a confronto con le spalle enormi, le gambe mas-sicce dell'atleta seduto su un cubo. Quello che interessa Picasso è il rapporto tra le due figure, rap-porto strano al quale Picasso attribuisce un vago, mi-sterioso significato simbolico del tutto 'particolare', cioè lontano da qualsiasi generalità sentimentale. È un rapporto isolato, autonomo, interno al circo, al mondo dei saltimbanchi, al loro tipo di lavoro. Que-sto rapporto, manco a dirlo, è un rapporto tra un certo tipo di vitalità diciamo così aerea dell'acroba-ta e quella tutta terrena dell'atleta.

Lo sfondo è un paesaggio pelato, collinoso, nel quale, tra vaghi rilievi ocracei, bruca un cavallo bian-co, forse uno dei cavalli che poi, bardati e impennac-chiati, gireranno per la pista del circo. La cavallerizza è forse la donna che tiene un infante in braccio e si ac-compagna con una bambina dal vestito rosso. Siamo in periferia, dove appunto si accampano i saltimban-chi, ai margini di una campagna desertica, probabil-mente spagnola. È un momento di calma, di esercizi, di intimità, di contemplazione, di rilasciamento. Ma

tutto questo è allontanato da Picasso, e per così dire estraniato a causa della sua attenzione ai rapporti, come abbiamo già detto, interni della scena. Rapporti, di volumi, di forze, di attitudini. E il blu del panno sul quale siede l'atleta, insieme col blu del suo slip, richiama il blu più chiaro del corpo dell'acrobata, così come il nero dello slip dell'acrobata richiama il nero dei capelli dell'atleta.

Picasso ha dipinto, insomma, un quadro sul modo come dipingere un quadro che riguardi il riposo dei saltimbanchi. La dimensione critica del manierista è presente in questo dipinto come in tutti gli altri.

Siamo nel 1905. Manca un anno solo ai primi quadri cubisti nei quali Picasso si libererà della pietà anche come pretesto manieristico e mirerà unicamente a esprimere la propria vitalità. Picasso è alla vigilia delle *Demoiselles d'Avignon*, cioè alla vigilia del franco riconoscimento che la vitalità come solo valore della vita si esprime soprattutto fondendo coscienza critica con istinto eversore. Picasso andrà fino in fondo all'eversione con l'esperimento cubista; quindi, esaurito il cubismo, tornerà al museo. E quindi di nuovo all'eversione. E poi di nuovo al museo.

Alternando eversione e museo, Picasso riuscirà a coprire con il suo genio manieristico e proteiforme tutta la prima metà del secolo e oltre. Il secolo che passerà probabilmente alla storia come il secolo della morte dell'arte in presa diretta sulla realtà. Dell'arte rifatta sull'arte. Dell'arte composta di ritmi, di rapporti, di iterazioni, di strutture, di armonie, di corrispondenze e di contrappunti. Dell'arte, insomma, che parla di se stessa e unicamente di se stessa.

Pablo Picasso
Les demoiselles d'Avignon,
1907
New York,
Museum of Modern Art

I pittori

BEATO ANGELICO
(Vicchio 1400 ca.– Roma 1455)

Guido di Piero, detto il Beato Angelico, nasce a Vicchio nel Mugello intorno al 1400 – come confermato da recenti studi che contraddicono la tradizionale e dibattuta datazione vasariana al 1387 o 1388 – e muore a Roma il 18 febbraio 1455.

Nel 1417, ancora laico, è citato come "dipintore" nella Compagnia di san Nicola al Carmine e solo qualche anno dopo, tra il 1418 e il 1420, giovane ma già noto, entra a far parte dell'ordine dei Domenicani Predicatori; la sua ordinazione sacerdotale si colloca infatti intorno agli anni 1423-25. Il suo nome da religioso va mutando nel tempo: frate Giovanni "di Mugello", "da Fiesole" e "da Firenze". L'appellativo di Angelico gli viene attribuito nel 1469 da fra' Domenico da Corella nel *Theotocon*, mentre più tardo è l'attributo di Beato, che non ha alcun fondamento ecclesiastico.

L'esordio artistico del pittore avviene con opere legate alla tradizione tardogotica, nella declinazione proposta da Lorenzo Monaco e, in particolare, da Gentile da Fabriano sebbene, già prima del 1430, la sua attenzione si rivolga verso la nuova concezione plastico-spaziale di Masaccio che l'Angelico rielabora in termini luministici.

Il primo documento relativo alla sua attività di pittore è datato 1418 e si riferisce al pagamento per una tavola nella chiesa di Santo Stefano dei Capitani di Orsammichele; un altro documento, recante la data del 30 marzo 1429, testimonia l'esecuzione del *Trittico di san Pietro martire* per i monaci del convento di San Domenico a Fiesole in cui, tra il 1432 e il 1433, egli ricopre più volte la carica di vicario.

Del 1433 è la commissione della parte pittorica del *Tabernacolo dei Linaioli*, opera che testimonia lo scambio intellettuale e la collaborazione artistica con Ghiberti; è la prima commissione laica di Beato Angelico che, a quest'epoca, è ormai uno dei più importanti pittori fiorentini.

Tra il 1438 e il 1445 l'Angelico realizza la sua maggiore impresa pittorica: la decorazione della chiesa e del convento di San Marco, restaurato l'anno precedente da Michelozzo che continua a lavorarvi fino al primo soggiorno romano di Beato Angelico, nel 1445.

Del ciclo di affreschi, realizzato con l'aiuto di allievi, sono certamente autografi il *Noli me tangere*, la *Trasfigurazione*, il *Cristo Deriso*, l'*Incoronazione della Vergine*, la *Presentazione di Gesù*, l'*Adorazione dei Magi*, la *Madonna col Bambino in trono* e l'*Annunciazione*. In questa fondamentale impresa, il pittore esprime il suo ideale di una moderna arte sacra, dai contenuti sentitamente religiosi immersi in una forma rinascimentale. Nello stesso anno in cui inizia la sua attività a San Marco, il pittore si reca a Cortona per dipingere un *Trittico* per il convento di San Domenico; tornato a Firenze, nel 1443 viene nominato "sindicho" del convento di San Marco, cioè procuratore e rappresentante dei confratelli. Dal 1445 al 1447, è testimoniato a Roma dove lavora in Vaticano, nella cappella detta del Sacramento (in seguito distrutta), e da dove stringe contatti con i monaci del Duomo di Orvieto per i quali dipingerà, nell'estate del 1447, due vele con *Cristo Giudice* e *Sedici profeti*.

Dal 1448 al 1450, Beato Angelico è occupato nell'esecuzione del ciclo con *Scene della vita di san Lorenzo e santo Stefano* nella vaticana Cappella Niccolina, suo ultimo capolavoro. Nel 1450 rientra a Firenze dove è nominato priore del convento di San Domenico. Qualche anno dopo, nel 1453-54, torna a Roma e lavora nella chiesa domenicana di Santa Maria sopra Minerva dove, alla sua morte, nel 1455, viene sepolto.

Ritenuto a lungo dalla critica un pittore attardato e primitivo, Beato Angelico rivela nelle sue opere una cultura aggiornata ed elaborata in una personale declinazione, frutto di una ricerca autonoma in cui il colore domina la spazialità dell'immagine e trasforma l'astrattezza geometrica in evidenza visiva portatrice di significati religiosi.

MASACCIO
(Castel San Giovanni 1401 – Roma 1428)

Tommaso di Ser Giovanni nasce il 21 dicembre 1401 a Castel San Giovanni, l'odierna San Giovanni Valdarno, da monna Jacopa e ser Giovanni Cassai. L'appellativo di Masaccio gli deriva probabilmente dal carattere scontroso, dai modi bruschi dovuti all'origine contadina, dalla concentrazione esclusiva nella sua pittura.

Dopo la morte del padre e del secondo marito della madre, la famiglia si trasferisce, nel 1417, a Firenze dove, l'anno seguente, Masaccio è menzionato in un documento come "dipintore". Non si hanno notizie precise circa la sua formazione, sebbene i suoi esordi appaiano legati alla cultura tardogotica di Gentile da Fabriano e di Arcangelo di Cola da Camerino; alcuni studiosi ritengono che la sua arte si innesti e si sviluppi direttamente sui risultati già raggiunti da Brunelleschi e Donatello.

Nel 1421, Masaccio lavora nella bottega di Bicci di Lorenzo; il 7 gennaio 1422 si iscrive all'Arte dei Medici e Speziali e dipinge il *Trittico di san Giovenale*, opera datata 23 aprile 1422 che attesta una conoscenza profonda della tradizione fiorentina.

Gli studiosi ipotizzano un suo primo viaggio a Roma nel 1423, in occasione del Giubileo, anticipato di due anni. Nel 1424, si iscrive alla Compagnia di san Luca e comincia a lavorare insieme al più anziano e famoso Masolino da Panicale, con il quale realizza la *Sant'Anna Metterza* e la decorazione, con *Storie di san Pietro* e del *Peccato originale*, della Cappella Brancacci in Santa Maria del Carmine, alla quale lavora anche dopo la partenza di Masolino per l'Ungheria, nel 1425.

Dopo un soggiorno a Pisa – nello stesso anno in cui vi risiede Donatello allo scopo di realizzare un polittico per il Carmine, ora disperso in vari musei – Masaccio esegue il celebre affresco della *Trinità* in Santa Maria Novella, opera che unisce pittura, scultura e architettura in un ambiente definito da chiare leggi prospettiche.

Nel 1428, interrotti i lavori al Carmine, si reca a Roma per lavorare in San Clemente, nella Cappella Branda Castiglione, e in Santa Maria Maggiore per la quale dipinge i *Santi Girolamo e Giovanni Battista* nel polittico della *Madonna della Neve*.

Stando al Vasari, nella città papale Masaccio aveva acquisito una "fama grandissima"; ma, proprio a Roma, l'artista muore improvvisamente nell'autunno 1428, ancor giovane e in circostanze misteriose, forse avvelenato.

Le novità della sua pittura, ammirata anche da Michelangelo, sono il nuovo senso dello spazio regolato dalle moderne leggi della prospettiva scientifica, la luce incidente che attraverso l'ombra dà rilievo plastico ai corpi, il nuovo senso del sacro dominato da una forte partecipazione emotiva, l'essenzialità del linguaggio narrativo.

PIERO DELLA FRANCESCA
(Borgo San Sepolcro 1416/20-1492)

Piero nasce a Borgo San Sepolcro, l'odierna Sansepolcro, tra il 1416 e il 1420, dal calzolaio e conciapelli Benedetto de' Franceschi e da Romana di Perino da Monterchi. Il nome paterno viene mutato in della Francesca. È noto che il pittore fu allievo di Domenico Veneziano, ma ben poco si sa del suo periodo fiorentino, poiché lavorò spesso fuori Firenze, contribuendo alla diffusione della riforma prospettica nella Toscana orientale, a Ferrara e nelle Marche.

Insieme a Domenico Veneziano, Piero è documentato a Firenze nel 1439 per i lavori al perduto ciclo delle *Storie della Vergine* in Sant'Egidio. In quest'occasione, l'artista ha modo di conoscere e confrontarsi con l'opera dei maggiori artisti dell'epoca: Masaccio, Masolino, Ghiberti, Brunelleschi, Gentile da Fabriano, Pisanello e Paolo Uccello.

Nel 1442 i documenti lo dicono di ritorno a Sansepolcro dove figura nell'elenco delle persone eleggibili al Consiglio del Popolo; sempre a Sansepolcro, l'11 gennaio 1445, riceve la commissione di un grande polittico da parte della Confraternita della Misericordia. Qualche tempo dopo, nel 1449, è a Ferrara, dove realizza affreschi ormai perduti per Lionello d'Este, presso la cui corte ha modo di conoscere la pittura fiamminga.

Tra il 1450 e il 1451, incontra Leon Battista Alberti e lavora in varie città: Ancona, Pesaro e Bologna; in questo periodo soggiorna anche a Rimini dove, nel Tempio Malatestiano, dipinge l'affresco rappresentante *San Sigismondo e Sigismondo Pandolfo Malatesta*.

A partire dal 1452, anno della morte di Bicci di Lorenzo, Piero ne prosegue la decorazione del coro di San Francesco in Arezzo, commissionata dai mercanti Bacci nel 1447. Ivi esegue la serie di affreschi sulla *Leggenda della Vera Croce*, conclusa nel 1466 con l'aiuto di un collaboratore. L'opera – la più complessa dell'intera produzione di Piero – rappresenta, articolandolo su tre registri narrativi, un soggetto tratto dalla *Legenda aurea* di Jacopo da Varagine.

Tra il 1458 e il 1459, Piero è a Roma per eseguire degli affreschi in Santa Maria Maggiore, di cui rimangono alcuni lacerti, e per la decorazione delle stanze di Pio II in Vaticano, in seguito distrutta.

Tornato a Sansepolcro, nel 1460 un documento lo cita tra i dodici probiviri del collegio istituito per la riforma della pubblica istruzione. Nel Palazzo dei Conservatori dipinge la *Risurrezione*, esegue il *Polittico degli Agostiniani* e lavora nel territorio aretino e urbinate intensificando i rapporti con Federico II da Montefeltro cui, nel 1474-75, dedica il *De prospectiva pingendi*, un trattato a uso dei pittori, corredato di illustrazioni. Più tardi scriverà il *De quinque corporibus regularibus*, dedicato al figlio di Federico, Guidobaldo.

Nel 1482 l'artista è di nuovo a Rimini dove affitta una casa prevedendo un lungo soggiorno. Nel 1487 redige il proprio testamento dichiarandosi "sano di mente, d'intelletto e di corpo" a differenza di quanto afferma Vasari nelle sue *Vite*. Ormai cieco, muore intorno al 12 ottobre 1492, giorno in cui risulta effettuata la sua sepoltura in Sansepolcro.

Antonello da Messina
(Messina 1430 ca.-1479)

Stando alle indicazioni di Vasari, Antonello – considerato il più alto rappresentante della pittura meridionale e il più attivo diffusore della pittura fiamminga in Italia – nasce a Messina intorno al 1430, dal marmoraio Giovanni d'Antonio e dalla moglie Margherita. La sua formazione artistica si svolge a Napoli intorno al 1450, nella bottega di Colantonio che lo pone a contatto con l'arte fiamminga, spagnola e provenzale.

Nel 1456 Antonello è nuovamente a Messina dove apre una bottega propria, in cui accoglie come garzone Paolo di Ciacio, e donde entra in contatto con

alcuni centri della Calabria, dipingendo nel 1457 un gonfalone per la Confraternita dei Gerbini di Reggio. A Messina torna probabilmente in due altre occasioni e la sua presenza ivi è documentata dal 1460 al 1465. Negli anni seguenti, egli effettua invece alcuni viaggi, recandosi anche a Roma dove ha modo di vedere l'opera di Piero della Francesca.

Di nuovo a Messina nel 1473-74, parte alla volta di Venezia dove è ricordata la sua presenza nel 1475 fino al marzo dell'anno seguente. Tornato a Messina, gravemente malato detta il proprio testamento, il 14 febbraio 1479; muore entro il 25 dello stesso mese.

Nelle sue prime opere – quali la *Madonna Salting* conservata alla National Gallery di Londra e la *Crocifissione* ora a Bucarest – è evidente una potente saldezza spaziale congiunta a un'analisi lenticolare dei dettagli di ascendenza fiamminga.

Nel 1465 Antonello data la tavola del *Salvator Mundi* apponendo la propria firma su un finto cartellino, come era in uso tra gli artisti fiamminghi. Alla figura del Redentore impone una ieraticità animata dal colore caldo e luminoso.

Intorno al 1470 risale il suo primo soggiorno a Venezia, dove egli ha modo di confrontarsi con l'arte di Giovanni Bellini; in patria realizza invece il *Polittico di san Gregorio* e l'*Annunciazione* in cui sono ancora presenti suggestioni fiamminghe. Di nuovo a Venezia, dipinge alcuni capolavori come la *Pala di san Cassiano* e il *San Sebastiano*, opere caratterizzate da un colore splendente e luminoso, ma soffuso e morbido, di derivazione belliniana. Sono di questo periodo anche alcuni ritratti, tra cui i più celebri sono il *Condottiero* e un *Autoritratto* considerato uno dei più alti capolavori del genere per via del sorprendente equilibrio compositivo e della plasticità, accentuata in virtù di un'illuminazione che definisce il volto sul fondo scuro. Dopo il ritorno in Sicilia, Antonello dipinge il suo capolavoro, la *Vergine annunziata* del Museo di Palermo, che nel viso assorto tradisce un'intensa umanità entro un'immagine nitida e volumetricamente compatta.

Hieronymus Bosch
('s-Hertogenbosch 1453-1516)

Bosch nasce nella cittadina di 's-Hertogenbosch, nel Brabante olandese, da Anthonis Van Aken, a sua volta pittore e figlio del pittore Jan Van Aken. Secondo gli studiosi, la data più attendibile della sua nascita può essere fissata al 2 ottobre 1453. La sua formazione artistica ha luogo nella bottega famigliare, mentre la sua attività si svolgerà quasi esclusivamente nella città natale, appartata dai maggiori centri artistici del Paese; fatto che non impedirà tuttavia a Bosch di avere continui contatti con la cultura, non solo figurativa, del tempo.

Il padre muore nel 1478, probabilmente lo stesso anno in cui l'artista sposa la ricca e nobile Aleyt Goyaerts de Meervenne, sua coetanea: la donna porta al pittore una consistente dote, che egli amministrerà assicurandosi così, per il resto della vita, la libertà da preoccupazioni economiche e una buona posizione sociale.

La scarsità di notizie biografiche e di documenti relativi alla prima destinazione dei suoi dipinti ostacola non poco la sistemazione cronologica della sua opera; si ritiene comunque che risalgano alla fase giovanile tavole come *La cura della follia* e *I sette peccati capitali* (Madrid, Prado), *Le nozze di Cana* (Rotterdam, Museo Boymans-van Beuningen), *Il ciarlatano* (Saint-Germain-en-Laye, Musée Municipal), *La Crocifissione* (Bruxelles, Musées Royaux des Beaux-Arts), *Ecce Homo* (Francoforte, Städelsches Kunstinstitut), tutte improntate a un cromatismo vivace e a schemi compositivi piuttosto tradizionali.

Seguendo le tracce del genitore, nel 1486-87 "Jeronimus Anthonissoen van Aken" – così il suo nome figura nei documenti – entra a far parte, con la qualifica di "libero maestro", della Confraternita di Nostra Diletta Signora, annessa alla cattedrale di San Giovanni in 's-Hertogenbosch. La confraternita, che si prefigge lo scopo di dedicarsi al culto e alle opere di carità e solidarietà, ha come insegna un cigno bianco, che infatti compare spesso nei dipinti dell'artista fiammingo.

Bosch salirà man mano le gerarchie interne dell'associazione, fino ad arrivare a presiedere, nel 1488, l'annuale Banchetto del Cigno offerto ai confratelli di Nostra Signora.

È noto che, entro il 1492, l'artista approntò il disegno per una vetrata della cattedrale, poi realizzata da Willem Lombard negli anni 1492-94.

Nel 1504 riceve, invece, trentasei lire come acconto per la realizzazione di una tavola raffigurante il *Giudizio universale*, commissionatagli dal duca di Borgogna Filippo il Bello, figlio dell'imperatore Massimiliano I. Mentre, nel 1505, la Confraternita richiede il suo parere circa la policromatura e la doratura della pala scolpita nella loro cappella in cattedrale, affidandogli successivamente l'incarico di sovrintendere i lavori. È infine del 1511-12 la richiesta, sempre da parte della Confraternita, di realizzare una croce destinata alla stessa cappella.

Sorprendente l'evoluzione iconografica e di contenuto delle sue opere: l'originaria propensione ad attingere a fonti popolari, unita alla sporadica presenza di elementi misteriosi e inquietanti, va precisandosi in modo progressivo nei capolavori della maturità – dalla *Nave dei folli* (Parigi, Louvre), al *Trittico del fieno* e al *Trittico delle delizie*, dal *Trittico del Giudizio* a quello delle *Tentazioni di Sant'Antonio* – fino ad assumere il carattere di una satira lucidissima, oltre l'apparente delirio delle rappresentazioni.

Tra le opere tarde risultano invece sempre più frequenti le raffigurazioni di santi ed eremiti assorti in meditazione (*San Giovanni a Patmos*, *San Giovanni Battista in meditazione*) o di momenti della passione di Cristo (*Incoronazione di spine*, *Salita al Calvario*).

Il 9 agosto 1516, nella cattedrale di San Giovanni, tante volte teatro della sua attività, vengono celebrate le esequie di "Hieronymus Aquem, alias Bosch, insignis pictor".

RAFFAELLO SANZIO
(Urbino 1483 – Roma 1520)

Raffaello nasce a Urbino il 6 aprile 1483, da Magia di Battista Ciarla – che muore quando il ragazzo ha solo otto anni – e dal pittore Giovanni Santi, da cui prenderà il nome latinizzandolo in Santius o Sanzio. Incoraggiato dal padre, Raffaello compie le sue prime esperienze nella bottega paterna, di cui prosegue l'attività anche dopo la morte di Giovanni, nel 1494, a contatto con il clima raffinato e vivace della cittadina dominata dalla corte dei Montefeltro.

Stando a Vasari, fu proprio il padre a cercargli un maestro migliore di se stesso, indirizzandolo alla bottega del Perugino di cui il giovane artista assimilò la grazia, la capacità di esprimere i sentimenti, l'adesione ai principi della prospettiva centrale: prova indiscussa della collaborazione tra i due è la *Pala di*

Fano, in cui Raffaello realizzò la predella con la *Natività della Vergine*.

Nel 1500, l'artista è citato come "magister" a Città di Castello, località dove ancor oggi si conserva, nella locale Pinacoteca, lo *Stendardo della Trinità*. Nella cittadina umbra Raffaello lavora dopo la partenza di Luca Signorelli per Orvieto e fino al 1504, con importanti commissioni per pale d'altare come l'*Incoronazione della Vergine* (Pinacoteca Vaticana), la *Crocifissione Mond* (Londra, National Gallery) e il celebre *Sposalizio della Vergine* (Milano, Pinacoteca di Brera) che conclude il periodo umbro.

Al 1503 vengono datati un probabile soggiorno romano e la collaborazione con il Pinturicchio, cui Raffaello fornisce i disegni per gli affreschi della Libreria Piccolomini, a Siena. Spinto dall'esigenza di aggiornare il suo linguaggio pittorico, Raffaello si reca per quattro anni a Firenze, dividendosi anche tra Perugia e Urbino. In questo periodo, dipinge alcune piccole tavole quali la cosiddetta *Piccola Madonna Cowper* e va elaborando le suggestioni fornitegli dall'ambiente toscano, da Leonardo e Michelangelo, come è evidente nel *Trasporto di Cristo morto* della Galleria Borghese, a Roma. Verso la fine del 1508, non ancora terminata la tavola della *Madonna del baldacchino*, Raffaello si trasferisce a Roma – insieme ad altri artisti chiamati da papa Giulio II ad affrescare i suoi nuovi appartamenti in Vaticano – per le cosiddette Stanze di Raffaello, poi terminate dai suoi allievi. Nella Stanza della Segnatura, egli dispiega una summa della cultura umanistica, in uno stile monumentale in cui colpisce l'armonia della composizione in scene molto affollate di personaggi antichi e contemporanei.

Tra il 1513 e il 1514, Raffaello esegue per Agostino Chigi il *Trionfo di Galatea* nella loggia della Farnesina e le *Sibille* nella Cappella Chigi, in Santa Maria della Pace. Di questo periodo sono anche alcuni splendidi ritratti come il *Ritratto di donna detta "La velata"*, il ritratto di Giulio II e alcune pale d'altare: la celeberrima *Madonna Sistina* (Dresda, Gemäldegalerie) e la *Madonna di Foligno* (Roma, Pinacoteca Vaticana).

Dopo la morte di Bramante, l'artista viene nominato "Architetto della Fabbrica di San Pietro", carica che deterrà fino alla morte; come architetto, lavora anche nella Cappella Chigi in Santa Maria del Popolo, a Villa Madama, e si occupa della ristruttura-

zione di molti edifici tra cui Palazzo Branconio, ora distrutto.

Dopo una breve malattia, il 6 aprile 1520 – nello stesso giorno in cui era nato, di venerdì santo – Raffaello muore, ancora giovane, e viene sepolto a Roma, nel Pantheon.

CORREGGIO
(Correggio 1489-1534)

Scarse sono le notizie su Antonio Allegri che condusse vita appartata e solitaria: la sua data di nascita viene collocata dalla critica tra il 1489 e il 1494; suo padre è un agiato mercante di stoffe di Correggio, città natale del pittore.

La sua formazione avviene presso un modesto pittore modenese, Francesco Bianchi Ferrari, ma è l'arte di Andrea Mantegna a influenzare maggiormente il giovane artista. È probabile che l'esordio artistico di Correggio si compia proprio nella chiesa di Sant'Andrea, a Mantova, dove si trovano alcune delle opere del pittore padovano: l'Allegri collabora anche alla decorazione della cappella funebre del più anziano pittore dipingendo alcune immagini di *Evangelisti*.

Non documentati ma dedotti da elementi stilistici sono pure due soggiorni di Correggio a Roma, da collocarsi intorno al 1513 e al 1518-19. Il primo documento di cui si ha conoscenza riguarda la commissione, nel 1514, da parte dei Francescani di Correggio, della *Madonna di san Francesco*; altri documenti, il primo dei quali datato 1511, riguardano invece contratti di lavoro o presenze ad atti notarili in qualità di testimone.

Nel 1519 Correggio realizza la decorazione della camera della badessa Giovanna Piacenza nel convento di San Paolo, a Parma: la sua cultura pittorica – che già aveva assimilato gli insegnamenti dell'illusionismo prospettico di Mantegna e del classicismo del Costa – si arricchisce grazie all'elaborazione del linguaggio di Giorgione, di Leonardo, di Raffaello.

Nel 1520, anno in cui sposa Gerolama Merlini, la madre dei suoi tre figli, Correggio firma il contratto per una delle sue opere più importanti: la decorazione della cupola di San Giovanni Battista a Parma; lì, lo spazio concluso della Camera della Badessa viene illusionisticamente aperto verso l'infinito, senza necessità di alcun supporto architettonico.

La novità di questo spazio libero, svincolato da ogni prospettiva, viene ulteriormente elaborata nell'opera più celebre di Correggio: l'*Assunzione della Vergine*, nella cupola del Duomo di Parma, dipinta negli anni tra il 1526 e il 1530; in essa le figure si muovono con inusitato dinamismo in uno spazio vorticoso che tenta di coinvolgere lo spettatore in un rapporto simpatetico, ricercato anche in dipinti successivi come la *Pala di san Sebastiano*, al Louvre, o la *Pala di san Giorgio* a Dresda.

Quest'impresa pittorica, tuttavia, suscita tali polemiche da spingere Correggio a ritornare nella propria città natale dove egli riceve ben presto un'altra importante commissione dal duca Federico Gonzaga e da Isabella d'Este: otto tele di soggetto mitologico tra cui troviamo la celeberrima *Danae*, ora nella Galleria Borghese di Roma.

Incompreso dai suoi contemporanei e in seguito osannato dai pittori barocchi, Correggio muore per un malore improvviso il 5 marzo 1534, nella stessa cittadina che gli aveva dato i natali.

JAN VERMEER
(Delft 1632-1675)

Jan Vermeer nasce a Delft nel 1632; il padre è Reyner Janszoon, un locandiere e mercante d'arte iscritto alla locale Corporazione dei Pittori; alla sua morte, il figlio ne proseguirà la professione. È proprio il padre che, firmando un documento nel 1640 con il nome di Van der Meer, suggerisce al figlio il nome d'arte, trasformato poi in Vermeer. Nonostante i contrasti con la ricca e cattolica madre della fidanzata, nel 1653 Vermeer sposa Catharina Bolnes e, nello stesso anno, si iscrive come "maestro pittore" alla gilda dei pittori, condizione essenziale per poter esercitare la professione.

Il suo esordio artistico ha luogo nel 1654 con dipinti di soggetto religioso o mitologico; la sua prima opera datata, l'unica insieme all'*Astronomo* del 1668, è *Dalla mezzana*, del 1656. Nonostante l'artista continui a gestire la locanda di famiglia, anche la sua attività all'interno della corporazione va aumentando: nel 1662, e poi nel 1672, è eletto vice-decano della Gilda di san Luca e sempre nel 1672 è chiamato all'Aia, alla corte degli Orange, per effettuare una perizia su alcuni dipinti italiani che poi giudica falsi.

A soli 43 anni, Vermeer muore improvvisamente il 13 dicembre 1675, lasciando la moglie e gli undici figli in desolate condizioni economiche; suo esecutore testamentario è lo scienziato Antonie van Leeuwenhoek, cui il pittore era legato da profonda amicizia e con il quale condivideva interessi scientifici.

La critica attribuisce a Vermeer circa quaranta opere, di cui solo sedici autografe. La sua formazione, il suo eventuale apprendistato e il suo esordio artistico non sono noti; alcune opere, quali *Cristo in casa di Marta e Maria* (Edimburgo, National Gallery of Scotland) – la più grande tela di Vermeer, appartenente all'esiguo gruppo di opere dette "a grandi figure" – e *Fanciulla assopita* (New York, Metropolitan Museum), rivelano l'interesse per i caravaggisti attivi a Utrecht, in particolare Terbrugghen e Rembrandt.

In un secondo periodo, la sua arte si rivolge a una pittura che solo convenzionalmente può essere definita "di genere", quasi priva di particolari narrativi e concentrata su pochi elementi essenziali e sulla figura umana cui la luce, filtrata o riflessa, dona una misteriosa immanenza.

Vertici della sua arte, e del genere della pittura di interni, sono *Lezione di musica*, la *Lattaia* e la *Merlettaia*, cui si può accostare anche la celebre *Veduta di Delft*. Nelle tele più tarde i contrasti luministici e l'impianto prospettico sembrano farsi più complessi, mentre fra i suoi soggetti compaiono anche temi allegorici di non facile decifrazione.

HENRI MATISSE
(Le Cateau-Cambrésis 1869 – Cimiez 1954)

Matisse nasce il 31 dicembre 1869 a Le Cateau-Cambrésis, nel nord della Francia. Il padre è un commerciante benestante.

Studente di legge all'Università di Parigi, nel biennio 1889-90 lavora per uno studio legale di Saint-Quentin ma, dopo aver trascorso gran parte di quest'ultimo anno a letto a causa di una malattia intestinale, comincia a seguire i corsi di disegno di Quentin de La Tour.

Nel 1891 decide di abbandonare definitivamente gli studi giuridici e si iscrive all'Accademia Julien di Parigi per prepararsi, con il professor Bouguereau, all'esame d'ammissione all'Ecole des Beaux-Arts.

Pur non avendolo superato, nel 1892 viene invitato da Gustave Moreau, neo-professore all'Ecole, a seguire i suoi corsi in studio e le sue lezioni al Louvre. Parallelamente si iscrive all'Ecole des Arts Décoratifs, dove fa amicizia con Albert Marquet.

Il 3 settembre 1894 nasce la figlia Marguerite.

Nel 1896 espone quattro dipinti al Salon de la Société Nationale des Beaux-Arts, ottenendo un discreto successo: lo Stato acquista il suo *Donna che legge*.

L'8 gennaio 1898 sposa Amélie Parayre, la madre di Marguerite, e va a Londra per ammirare la Collezione Turner.

Il 10 gennaio 1899 gli nasce il figlio Jean. Nello stesso anno, dopo la morte di Moreau, lascia l'Ecole des Beaux-Arts e frequenta lo studio di Eugène Carrière dove incontra André Derain. Acquista *Le tre bagnanti* di Cézanne, un gesso di Rodin, una tela di Gauguin e un disegno di Van Gogh.

Il 13 giugno 1900 nasce il suo ultimogenito, Pierre.

Nel 1901, visitando una retrospettiva di Van Gogh alla Galleria Bernheim-Jeune, conosce Maurice de Vlaminck. Espone al Salon des Indépendants presieduto da Paul Signac.

Nel 1903 partecipa al Salon d'Automne e si interessa all'arte islamica, conosciuta grazie a una mostra tenutasi al Musée des Arts Décoratifs di Parigi.

Organizza la prima esposizione personale nel 1904, presso la galleria di Ambroise Vollard. Con Signac e Henri Cross trascorre l'estate di quell'anno a Saint-Tropez. Esegue *Lusso, calma e voluttà*, sperimentando la pittura divisionista.

Nel 1905 passa invece l'estate con Derain a Collioure, sulla costa mediterranea, dove lavora con i colori puri, esponendo poi le sue nuove sperimentazioni *fauves* al Salon d'Automne.

Nel 1906 realizza *La gioia di vivere*, esibita al Salon des Indépendants, e compie il suo primo viaggio africano, in Algeria (ad Algeri, Batna, Costantina, Biskra), dove subisce il fascino dei tessuti e delle ceramiche locali.

Rientrato a Parigi, l'anno dopo frequenta il salotto di Gertrude Stein, incontrandovi Picasso. L'estate la trascorre in Italia, ospite degli Stein a Fiesole, donde si reca a visitare Firenze, Arezzo, Siena, Padova, Ravenna e Venezia.

Nel 1908 il suo testo teorico *Notes d'un peintre* (Appunti di un pittore) viene pubblicato sulla rivista d'avanguardia "Grande Revue" mentre, a New York, viene allestita la sua prima personale americana, promossa da Gertrude Stein.

Nel 1909 il collezionista russo Ščukin gli commissiona due pannelli decorativi per la sua casa di Mosca. Si tratta de *La Danse* e *La Musique*, cui Matisse lavora per tutto l'anno seguente. Tanta importanza egli attribuisce alla collocazione di queste tele, da recarsi personalmente, nel 1911, presso l'abitazione di Ščukin. Nello stesso anno si reca anche in Marocco.

Esentato dagli obblighi militari, nel 1914 si stabilisce a Collioure con la famiglia. Invia viveri e generi di conforto ai suoi amici al fronte e, per tutta la durata del conflitto, lavora a una intensa produzione.

A guerra finita, nel 1919, soggiorna a Londra per realizzare le scenografie de *Il canto dell'usignolo* per Sergej Djagilev e la sua compagnia dei *Ballets Russes*.

Nel 1923 la figlia Marguerite sposa Georges Duthuit, critico d'arte e bizantinista.

Nel 1924 comincia a dipingere le sue celebri odalische. Nel 1927 riceve il Premio della Carnegie International Exhibition di Pittsburgh e, nel 1930, viaggia negli Stati Uniti e a Tahiti. Dal collezionista Barnes di Merion, vicino a Philadelphia, gli viene commissionato un grande pannello sulla *Danza*. Una serie di grandi esposizioni (New York, Berlino, Parigi) lo consacra finalmente come artista internazionale.

Nel 1932 lavora a trenta acqueforti per l'illustrazione delle *Poésies* di Mallarmé. Cinque anni dopo, nel 1937, accetta una nuova commissione dai *Ballets Russes*, stavolta per le scenografie e i costumi del balletto *Rosso e nero* (o *La strana farandola*).

Nel 1939 si separa dalla moglie e va ad abitare nel vecchio Hotel Régina, di Cimiez.

Nel 1940, all'invasione di Parigi da parte dei tedeschi, parte per Bordeaux rifiutandosi di fuggire in Brasile come, invece, gli era stato proposto.

Nel 1941, a Lione, viene operato con successo di cancro al duodeno. Dopo la convalescenza, torna subito a dipingere.

Poiché, nel 1943, anche Cimiez viene bombardata, Matisse si trasferisce a Vence, sulle colline di Nizza. L'anno seguente, la moglie e la figlia vengono arrestate e deportate dalla Gestapo come attiviste della Resistenza francese. Dal suo rifugio l'artista lavora alle illustrazioni per *Les fleurs du mal* di Baudelaire.

Dopo gli orrori della guerra, nel 1947, l'editore Tériade pubblica *Jazz*, una raccolta delle nuove proposte dell'arte matissiana, le *gouaches découpées*, carte colorate, ritagliate e incollate per dare origine a figure essenziali, quasi "macchie" di colore che si fanno forma. Una tecnica, questa, impostagli dalle condizioni di salute in via di peggioramento e che tuttavia consente all'artista un alto grado di libera espressività.

Nel 1948 inizia invece i lavori per la decorazione della Cappella del Rosario, a Vence, che sarà consacrata il 25 giugno 1951.

Un biennio dopo, nel 1950, riceve il premio della XXV Biennale d'Arte di Venezia, appena prima di smettere definitivamente di dipingere su tela e di dedicarsi esclusivamente alle *gouaches découpées*.

Ancora due, prima della morte, le grandi affermazioni: la pubblicazione della sua monografia presso Alfred Barr, nel 1951, e l'inaugurazione, nel 1952, del Musée Matisse a Le Cateau-Cambrésis.

Il 3 novembre 1954 Matisse muore, a Nizza, dopo una breve agonia.

PABLO PICASSO
(Malaga 1881 – Mougins 1973)

Picasso nasce il 25 ottobre 1881 a Malaga, in Spagna. A soli quattro anni, nel 1895, si trasferisce con la famiglia a Barcellona.

Nel 1897 supera brillantemente l'esame d'ammissione all'Accademia Reale di Madrid e già nel 1900 tiene la sua prima mostra all'"Els Quatre Gats" di Barcellona. In ottobre, con l'amico Carlos Casagemas, parte per Parigi.

Nel 1901 inizia il suo cosiddetto "periodo blu": per tre anni dipinge infatti nei toni dominanti di questo colore.

Nel 1904 si stabilisce definitivamente a Parigi, al Bateau-Lavoir, edificio in cui risiedono molti altri artisti. Dipinge ora le opere del "periodo rosa", ispirato al mondo del circo.

Dopo intenso lavoro, nel 1907 termina *Les démoiselles d'Avignon*, un'opera che sarà fatta oggetto di molte critiche.

Nel 1909, tuttavia, espone a Parigi un gran numero di tele cubiste, frutto anche di un suo viaggio in Spagna.

Allo scoppiare della guerra, nel 1914, i suoi amici sono richiamati. Lui, che è cittadino spagnolo, rimane a Parigi.

Pur nel perdurare del conflitto, nel 1917 Jean Cocteau lo coinvolge nell'allestimento del balletto di Djagilev *Parade*.

Nel 1920, influenzato dal generale "ritorno all'ordine", dipinge una serie di quadri di ispirazione classica.

Nel 1925 partecipa, invece, alla prima mostra surrealista e successivamente dipinge una serie di tele che raffigurano bagnanti sulla spiaggia.

Nel 1935 Olga Kokhlova, sua moglie dal 1918, lo abbandona portando con sé il figlio Paulo. Pochi mesi dopo nasce Maia, figlia di Marie-Thérèse Walter, con cui il pittore aveva da anni una relazione.

L'anno dopo, nel 1936, scoppia la guerra civile spagnola: Picasso si schiera contro la Falange di Franco. Nello stesso periodo, è nominato direttore del Museo del Prado.

Nel 1937 la cittadina basca di Guernica viene rasa al suolo dai bombardamenti tedeschi: Picasso immortala il tragico evento nella celeberrima tela che prende il nome dalla località.

Durante il secondo conflitto mondiale l'artista manifesta sempre molto chiaramente le proprie posizioni ideologiche al punto di essere osannato, nel 1944, come uno dei simboli viventi della resistenza al nazismo.

Nel 1947 troviamo al suo fianco una nuova compagna, Françoise Gilot. Nasce Claude, il terzogenito. Due anni dopo, nel 1949, nasce anche Paloma, ma Picasso e la Gilot si separano. Il pittore realizza il famoso manifesto per la pace *La Colomba*.

Nel 1954, insieme a Jacqueline Roque, si trasferisce nei pressi di Cannes.

Altre date da ricordare sono l'inaugurazione della sua retrospettiva al Grand Palais, nel 1966, e la donazione di tutte le opere di famiglia al Museo Picasso di Barcellona, nel 1970.

L'8 aprile 1973 Picasso muore a Mougins.

Gli scrittori

ALBERTO BEVILACQUA
(Parma 1934)
Opere principali: i romanzi *La califfa* (1964),
Questa specie d'amore (1966), *L'occhio del gatto*
(1968), *Una città in amore* (1970), *Il viaggio
misterioso* (1972), *Umana avventura* (1974), *La
festa parmigiana* (1982), *Il curioso delle donne*
(1983), *La donna delle meraviglie* (1984), *Il gioco
delle passioni* (1989), *I sensi incantati* (1991),
Gialloparma (1997); la raccolta di racconti *Una
misteriosa felicità* (1988); le raccolte di poesie
Immagine e somiglianza (1982) e *Vita mia* (1985).

DINO BUZZATI
(Belluno 1906 – Milano 1972)
Opere principali: *Barnabo delle montagne* (1933),
Il segreto del Bosco Vecchio (1935), *Il deserto dei
Tartari* (1940), *I sette messaggeri* (1942), *Paura
alla Scala* (1949), *Il crollo della Baliverna* (1954),
Sessanta racconti (1958), *Un amore* (1963), *Il
Colombre* (1966), *La boutique del mistero* (1968),
Le notti difficili (1971), *Un caso clinico* (dramma,
1953); opere illustrate: *Poema a fumetti* (1969), *I
miracoli di Van Morel* (1971). Tra le pubblicazioni
postume: *Cronache terrestri* (1972), *I misteri
d'Italia* (1978), *Dino Buzzati al Giro d'Italia*
(1981), *Il reggimento parte all'alba* (1985).

ORESTE DEL BUONO
(Isola d'Elba 1923)
Opere principali: *Racconto d'inverno* (1945), *La
parte difficile* (1947), *Un intero minuto* (1959), *Né
vivere né morire* (1963), *I peggiori anni della
nostra vita* (1971), *La nostra età* (1974), *Tornerai*
(1976), *Se mi innamorassi di te* (1980), *La talpa di
città* (1984), *Amori neri* (1985), *La debolezza di
scrivere* (1987), *La vita sola* (1989), *I grandi ladri*
(1992).

MARIO LUZI
(Firenze 1914)
Tra le sue raccolte: *La barca* (1935), *Avvento
notturno* (1940), *Un brindisi* (1946), *Quaderno
gotico* (1947), *Primizie del deserto* (1952), *Onore del
vero* (1957), *Il gusto della vita* (1960), *Nel magma*
(1963), *Dal fondo delle campagne* (1965), *Su
fondamenti invisibili* (1971), *Al fuoco della
controversia* (1978), *Per il battesimo dei nostri
frammenti* (1985); e i poemetti drammatici *Ipazia*
(1972) e *Rosales* (1984). Tra i saggi critici: *Studio su
Mallarmé* e *L'idea simbolista* (1959), *Vicissitudine e
forma* (1974), *Discorso naturale* (1984), *Spazio,
stelle, voce. Il colore della poesia* (1992).

ELSA MORANTE
(Roma 1912-1985)
Tra i suoi racconti e romanzi: *Il gioco segreto*
(1941), *Menzogna e sortilegio* (1948), *L'isola di
Arturo* (1957), *Lo scialle andaluso* (1963), *Il
mondo salvato dai ragazzini* (1968), *La storia*
(1974), *Aracoeli* (1982), *Le straordinarie avventure
di Caterina* (1985).

ALBERTO MORAVIA (ALBERTO PINCHERLE)
(Roma 1907-1990)
Tra le sue opere: *Gli indifferenti* (1929),
L'imbroglio (1937), *I sogni del pigro* (1940), *La
mascherata* (1941), *La speranza, ossia cristianesimo
e comunismo* (1945), *La romana* (1947), *La
disubbidienza* (1948), *L'amore coniugale e altri
racconti* (1949), *Il conformista* (1951), *Il disprezzo*
(1954), *Racconti romani* (1954), *La ciociara*
(1957), *Nuovi racconti romani* (1959), *La noia*
(1960), *L'attenzione* (1965), *Il paradiso* (1970), *Io
e lui* (1971), *Boh* (1976), *La vita interiore* (1978),
Agostino (1980), *1934* (1982), *La cosa* (1983),
L'uomo che guarda (1985).

MICHELE PRISCO
(Torre Annunziata, Napoli, 1920)
Tra i suoi racconti e romanzi: *La provincia addormentata* (1949), *Gli eredi del vento* (1950), *Figli difficili* (1954), *Fuochi a mare* (1957), *La dama di piazza* (1961), *Una spirale di nebbia* (1966), *Gli ermellini neri* (1975), *Il colore del cristallo* (1977), *Le parole del silenzio* (1981), *Lo specchio cieco* (1984), *I giorni della conchiglia* (1989), *Terre basse* (1992), *Il cuore della vita* (1995), *Il pellicano di pietra* (1996).

LEONARDO SCIASCIA
(Racalmuto, Agrigento, 1921 – Palermo 1989)
Tra le sue opere: *Favole della dittatura* (1950), *La Sicilia, il suo cuore* (1952), *Le parrocchie di Regalpetra* (1956), *Gli zii di Sicilia* (1958), *Il giorno della civetta* (1961), *Pirandello e la Sicilia* (1961), *A ciascuno il suo* (1966), *Candido ovvero un fatto in Sicilia* (1977), *L'affare Moro* (1978), *La Sicilia come metafora* (1979), *Dalle parti degli infedeli* (1979), *Il teatro della memoria* (1981).

GIUSEPPE UNGARETTI
(Alessandria d'Egitto 1888 – Milano 1970)
Tra le sue raccolte: *Il porto sepolto* (1917), *Allegria di naufragi* (1919), *Sentimento del tempo* (1933), *Il dolore* (1947), *La terra promessa* (1950), *Un grido e paesaggi* (1952), *Il taccuino del vecchio* (1960).

PAOLO VOLPONI
(Urbino 1924 – Ancona 1994)
Tra le sue opere di narrativa e poesia: *Il ramarro* (1948), *L'antica moneta* (1955), *Le porte dell'Appennino* (1960), *Memoriale* (1962), *La macchina mondiale* (1965), *Corporale* e *Foglia mortale* (1974), *Il sipario ducale* (1975), *Il pianeta irritabile* (1979), *Il lanciatore di giavellotto* (1981), *Con testo a fronte* (1986), *Le mosche del capitale* (1989), *Nel silenzio campale* (1990), *La strada per Roma* (1991). Pubblicato postumo *Il leone e la volpe* (1994).

REFERENZE FOTOGRAFICHE

Le illustrazioni provengono dall'Archivio RCS Libri

Finito di stampare nel mese di ottobre 2000,
presso Industrie per le Arti Grafiche Garzanti Verga, Cernusco sul Naviglio (Milano)